EL PODER DE LA MEMORIA

Sección: Psicología

Ursula Markham

EL PODER DE LA MEMORIA

Cómo aumentar tu capacidad de aprender y recordar

Traducido del original inglés de Ursula Markham:

MEMORY POWER
How to improve your
Ability to Learn and Remember

Portada: Alvaro Sánchez

Apartado 73 - 48080 Bilbao
ISBN: 84-271-1895-3
Depósito Legal: BU.-118.-1995
Printed in Spain
Impreso en Ediciones Aldecoa, S.L. Pol. Ind. Villalonquéjar
C/. Condado de Treviño, s/n. Naves C.A.M. n.º 21 - 09001 Burgos

Nadie puede revelarte cosa alguna
que no esté ya medio dormida
en el crepúsculo de tu conocimiento.

El Profeta, Kahlil Gibran

Introducción

¿Eres estudiante en un colegio o universidad? ¿Eres un hombre –o mujer– de negocios que sabe el precio que tiene el poder recordar unos datos, con precisión, en un momento dado? Si regresas, después de una larga ausencia, ¿tienes problemas para recordar nombres y rostros? ¿Te gustaría estudiar una materia nueva, sólo por el gusto de hacerlo, pero te aterra el pensamiento de que te va a costar mucho el aprenderla y mucho más el recordarla?

Si tu respuesta es "sí" a cualquiera de estas preguntas –o si, simplemente, quieres saber cómo aumentar tu capacidad de aprender y de mejorar tu memoria–, entonces este libro es para ti.

No lo hemos escrito para deslumbrarte con su ciencia ni para agobiarte con la relación de todos los maravillosos descubrimientos realizados, en torno al cerebro humano durante las últimas décadas. Aquí te enseñaremos unas cuantas maneras prácticas y efectivas para multiplicar tu poder de aprendizaje y aplicarlo a la vida real. Verás cómo, a través de la práctica de unos sencillos ejercicios y antes de que hayas acabado de leer el libro, podrás comprobar por propia experiencia, que estos métodos funcionan.

Estás entrando en un mundo fascinante e ilimitado. Disfrútalo.

1

El poder del cerebro

Tal vez hayas oído decir que sólo usamos el 8 por ciento del potencial de nuestro cerebro. En realidad, ahora hay algunos psicólogos que dicen que no usamos más que el 4 por ciento; pero, aun tomando por base la primera cifra, quiere decir que el 92 por ciento de la capacidad del cerebro permanece sin ser usada. Si piensas en la cantidad de conocimientos e información que has adquirido durante la vida, puedes imaginar cuántos más conocimientos poseerías, si hubieras usado sólo la mitad de esa capacidad no utilizada.

¿Cuál es la razón de que se use sólo una parte tan pequeña de esa capacidad del cerebro? La respuesta obvia es que, hasta hace muy poco, nadie sabía mucho acerca de cómo funciona. A medida que va creciendo este conocimiento, nos vamos hallando en mejor situación de poder utilizar el poder de nuestro cerebro.

Estarás pensando que has recibido muchas lecciones en una gran variedad de temas académicos, a lo largo de tus años de estudios, y que lo hiciste bastante bien. Pero ¿cuánto puedes recordar ahora de todo aquello que aprendiste? Como no hayas mantenido un interés particular en algún tema, lo más probable es que lo que has olvidado sea mucho más que lo que ahora recuerdas. Y, por otra parte, hay otras muchas cosas que no te enseñaron en clase, pero que ahora las recuerdas sin ninguna dificultad. No te has olvidado de la fecha de tu nacimiento ni de cómo leer la hora en tu reloj. Recuerdas perfectamente tu dirección y los nombres de tus hijos. ¿Por qué? Porque todos estos datos los has aprendido *creativamente*; a saber: no por una repetición mecánica de palabras, como los loros, sino absorbiéndolos naturalmente y relacionándolos con la vida real y con lo que te interesaba, sin haber hecho ningún esfuerzo consciente para aprenderlos.

¿Qué es aprender?

El verdadero aprendizaje no tiene nada que ver con la repetición automática –aunque esto sea lo que nos han enseñado a la mayor parte de nosotros en la escuela–. El aprendizaje consiste en tres cosas:

1. Absorción de nuevas ideas (que incluye, naturalmente, la capacidad de comprenderlas).

2. Empalme de estas nuevas ideas con las que ya tenías antes, a fin de mejorar y extender tu campo de conocimientos.

3. Hallarse suficientemente en posesión de esas ideas, como para ser capaz de explicarlas a los demás, si se diera la ocasión.

Las dos mitades del cerebro

Tu cerebro está dividido en dos mitades: izquierda y derecha. Se sabe, ya hace tiempo, que la mitad izquierda del cerebro gobierna la mitad derecha del cuerpo, y que la mitad derecha del cerebro gobierna la mitad izquierda del cuerpo. Esto supone que, una lesión en la mitad izquierda del cerebro causa parálisis en la mitad derecha del cuerpo y viceversa.

En el último cuarto de siglo, los investigadores han podido descubrir, además, que cada lado del cerebro realiza funciones mentales separadas y diversas. Dos de estos investigadores más conocidos son, el Dr. Robert Ornstein y el Dr. Roger Sperry, de la Universidad de California, cuyos trabajos en este campo fueron galardonados con el premio Nobel. Antes de ver qué mitad del cerebro gobierna tal o cual actividad mental, tómate un momento para responder 'sí' o 'no' a las siguientes preguntas:

1. Tengo una naturaleza artística
2. Siempre he sido un soñador/a
3. Me gusta oír / tocar música
4. Tengo una imaginación viva
5. Al soñar lo hago en imágenes
6. Tengo sentido del ritmo
7. Me gusta saber la razón de todo
8. Siempre he tenido facilidad para los números
9. Tengo un pensamiento lógico
10. Me gusta emplear la palabra exacta en el momento exacto
11. Los temas científicos me fascinan
12. Me gusta tratar las cosas una por una.

Si has respondido más bien 'sí' a las preguntas 1-6, y 'no' a las 7-12, tu cerebro predominante es el derecho. Si es más cierto lo contrario, tu cerebro predominante es el izquierdo. El ideal, no obstante, es tener un equilibrio perfecto entre ambos.

El diagrama que viene a continuación nos ilustra acerca de las funciones de las dos mitades del cerebro:

Fijándonos en este diagrama, pronto nos damos cuenta de que la mayor parte de nosotros hemos sido educados para ser 'izquierdos'. De hecho, a muchos se les ha reprimido la actividad del cerebro derecho, cuando se les decía: 'Concéntrate' o 'No sueñes despierto'. Por descontado que todos tenemos necesidad de las capacidades del cerebro izquierdo –es imprescindible para poder razonar o manejar números–, pero también es importante permitir que se desarrolle el cerebro derecho, porque pronto podríamos olvidarnos de cómo usarlo. Menos mal que una situación así no sería definitiva, porque es muy posible aprender a reactivar el cerebro derecho. Es más: en sus investigaciones, Ornstein y Sperry han descubierto que, cuando usamos las dos mitades de nuestro cerebro, no solamente duplicamos nuestra potencia mental, sino que la multiplicamos por diez.

En realidad, usamos nuestro cerebro derecho mucho más de lo que creemos. Es el cerebro derecho el que nos ayuda a ver la figura completa de una persona que conocemos por primera vez. Mientras que el cerebro izquierdo lo registra todo por separado: el peinado, el color de los ojos, la forma de la boca, etc.

La sociedad moderna nos ha llevado a poner gran énfasis y un valor predominante en el funcionamiento del cerebro izquierdo. Hemos llegado a pensar que el científico es más listo y más 'valioso' que el artista; el médico más que el músico. Pero lo cierto es que el desarrollo de un lado del cerebro mejora el funcionamiento del otro lado. Y, desde luego, no es verdad que el descollar de un lado signifique la debilidad del otro lado. Piensa en Leonardo de Vinci; piensa en Einstein.

Uno de los objetivos de este libro es impulsarte a pensar creativamente (es decir, en plan de cerebro derecho), para aumentar así tu capacidad de adquirir conocimientos, algo que quizá hayas pensado hasta ahora que era cosa del cerebro izquierdo.

Funcionamiento cerebral y edad

Hasta ahora se pensaba que la capacidad mental disminuía automáticamente con la edad. Se creía que el cerebro alcanzaba su máximo entre los 18 y 25 años de edad y, a partir de entonces, se iba deteriorando de forma que llegábamos a ser menos capaces de aprender o recordar. Esto no es cierto. El profesor Mark Rosenweig, de la Universidad de California, ha comprobado que (siempre que no haya sufrido alguna lesión) el cerebro continúa desarrollándose a cualquier edad, con tal de que reciba un estímulo suficiente. Como muestra de que el cerebro puede seguir funcionando eficiente y correctamente aun en los octogenarios, bástenos recordar a Miguel Angel, Goethe, Picasso, Bertrand Russell, Einstein y George Bernard Shaw.

Es cierto que un determinado número de células cerebrales se destruyen según nos vamos haciendo viejos. Pero las investigaciones nos indican que poseemos tal cantidad de ellas que, aunque perdiéramos 10.000 cada día, esta pérdida supondría menos del 5 por ciento total de células al final de nuestra vida.

Aunque la capacidad mental no decrece necesariamente con la edad, sí es un hecho que el cuerpo humano se deteriora. Cuando se van obturando las arterias llega menos oxígeno al cerebro. Y se ha demostrado que, cuando un tratamiento médico ha conseguido abrir mejor paso en las arterias, los pacientes no sólo sufren menos estrés y agitación, sino que aumenta su cociente intelectual. Es cosa aceptada que la alta tensión arterial suele ir acompañada de una menor agilidad mental, mientras que ésta regresa cuando baja la tensión.

Por estos motivos, son importantes el ejercicio físico y una correcta alimentación, así como también el introducir pausas cuando se está ejerciendo un trabajo mental concentrado. Más adelante, en este libro, te enseñaremos algunos ejercicios respiratorios y de relajación indicados para aumentar el flujo de oxígeno al cerebro, con el fin de ayudarte a mejorar tu memoria y tu funcionamiento mental.

Influencias externas sobre el cerebro

Nutrición

Tal vez hayas leído algunos informes recientes que establecen que los niños que han recibido una alimentación no apropiada realizan tests de inteligencia muy inferiores a los de los niños sujetos a una alimentación sana. Estos mismos informes manifiestan que, cuando al primer grupo de niños se les administraron suplementos en forma de vitaminas y minerales extra, sus resultados mejoraron notablemente.

Los niños del primer grupo no eran, necesariamente, menos inteligentes que los del segundo grupo. Sin embargo, no estaban en condiciones de sacar el mejor partido de su capacidad individual.

Lo mismo ocurre en la vida de cada uno de nosotros. Si quieres mejorar tu poder de aprendizaje, ¿por qué no tratar de hacerlo en las mejores condiciones? No quisiera inculcarte ningún fanatismo en este punto; pero si tu dieta es, básicamente, sana (y no sufres ninguna enfermedad o alergia), una moderada libertad en tu alimentación no te hará ningún daño.

Pero no basta con las vitaminas y los minerales. Los expertos en medicina Ayurvédica (la medicina tradicional de la India) piensan que:

1. un consumo excesivo de alimentos de alto contenido graso induce a la depresión y a la letargia

2. un exceso de carne o de especias puede producir tendencias agresivas

3. una dieta alta en legumbres, verduras frescas y arroz procura una mente clara.

La medicina Ayurvédica data de hace muchos siglos pero es practicada hoy en el mundo occidental. Por otra parte, muchos nutricionistas modernos coinciden acerca de los efectos de la alimentación en nuestras facultades mentales.

Por muchas razones, es beneficioso reducir nuestro peso a un nivel razonable, con tal de que nuestro régimen de adelgazamiento no sea excesivamente drástico, sobre todo cuando estamos dedicados a un serio trabajo mental. Todo el que haya seguido una dieta muy estricta sabe muy bien que suele venir acompañada de irritación, dolores de cabeza, falta de concentración, etc.

Estimulantes

Sabes muy bien que la cafeína contenida tanto en el té como en el café puede estimularte para mantenerte alerta mientras estudias. Sin embargo, esto es verdad sólo a corto plazo. Muy pronto, la cafeína producirá síntomas de estrés que resultarán contraproducentes. Recuerda lo difícil que es pensar con claridad cuando se está bajo el estrés y te darás cuenta del efecto que un exceso de cafeína puede producir en tu capacidad de adquirir y recordar información. Una taza que otra de cualquiera de las dos bebidas no te hará mucho daño; los problemas comenzarán cuando te sientas incapaz de estudiar sin una taza de café cargado sobre la mesa.

Alcohol

No estoy recomendando una abstención estricta, pero sí te recuerdo que el alcohol y la claridad mental no suelen ir a una. A corto plazo, el alcohol te aletargará y hará más difícil tu concentración mental. A largo plazo, los problemas son mayores: el abuso puede causar pérdida permanente de la memoria, que aumentará con la edad. Se ha demostrado que el abuso del alcohol conduce al envejecimiento prematuro del cerebro.

Tabaco

Hemos leído y oído mucho acerca de los perniciosos efectos del tabaco, pero lo que la gente no sabe es que el fumar reduce la cantidad de oxígeno que debe ser aportada al cerebro en todo momento. Esto hace que el fumador sea menos capaz de pensar claramente. Repetidos tests llevados a cabo en varios países indican que los no fumadores tienen una capacidad para recordar claramente superior a la de los fumadores.

Droga

Todas las drogas, recetadas o no, pueden disminuir la capacidad mental. Si sufres de catarro de heno, has de saber que las antihistaminas que tomas para aliviar sus síntomas te producirán somnolencia y falta de concentración. De hecho, viene indicado en los prospectos que no se maneje maquinaria peligrosa después de haber tomado esas medicinas. Otros medicamentos te pueden producir reacciones de lentitud o sensación de abatimiento. Si te han recetado la medicación y es, por lo mismo, necesaria, no tenemos nada que decir, fuera de que te des cuenta de que tu mente puede que no esté tan clara y tus reflejos no sean tan rápidos mientras estés bajo sus efectos.

Ejercicio

Entre otros beneficios, el ejercicio físico regular facilita la circulación y esto contribuye a que el oxígeno llegue más rápida y fácilmente al cerebro. (Esta suele ser la causa de la sensación de bienestar que con frecuencia experimentamos después de haber realizado un notable ejercicio). El cerebro es capaz de funcionar más efectivamente y, aunque te duelan algo los pies y los brazos, tu capacidad de aprender habrá aumentado.

Condicionamientos

Cada uno de nosotros es un producto de condicionamientos que comenzaron en el momento en que entramos en este mundo. Han influido en nosotros toda una serie de gentes y circunstancias, con influencias tanto positivas como negativas. Muchas veces, estos condicionamientos no han sido inducidos deliberadamente, pero no por eso sus efectos son menos reales y duraderos.

Una vez instalados estos condicionamientos, podemos convertirnos en nuestros mayores enemigos si no sabemos enfrentarnos a ellos. Cada uno de nosotros erigimos nuestras propias barreras en nuestra vida, muchas veces sin saber que lo estamos haciendo así. Suponte un adulto que te dice: "No sé francés. Nunca he sido capaz de aprender lenguas extranjeras". Si esta persona hubiera nacido en Francia y de padres franceses, ¡ya estaría charlando a los tres años de edad! La misma persona, con el mismo cerebro. No se trata, pues, de que él o ella sean incapaces de aprender el francés, sino de que ellos *creen* que ese es su caso. Se han levantado su propia barrera, sólo ellos podrán derribarla.

Si uno de tus objetivos –como el de tantos hoy en día– es aprender un lenguaje, observa cómo empieza a hablar un niño. Nada de conjugar docenas de verbos irregulares ni de estudiar formas adverbiales. El niño comienza a señalar las cosas y a decir una sola palabra. 'Pastel', dirá, y un poco más adelante, 'quiero pastel'. Con esto no te quiero decir que empieces como los niños, pero sí que es mejor concentrarse en aquellas palabras y frases que te han de ser más útiles en las circunstancias concretas de tu vida. Una vez que domines éstas y hayas ganado confianza, te queda tiempo para que progreses y profundices en la construcción del lenguaje.

A propósito de tus particulares condicionamientos, examínate a fondo, examina tu pasado, las buenas y malas influencias que hayas padecido en tu vida. Examina qué clase de persona has llegado a ser y qué es lo que puedes hacer en orden a mejorar el potencial de tu cerebro. Observa tus aspectos positivos y negativos y mira si puedes averiguar las causas de los mismos. No pierdas el tiempo en deplorar tu pasado o en amargarte la existencia; sería una pérdida de tiempo que podría haberse empleado mejor. Procura, únicamente, que tus condicionamientos pasados no ejerzan una influencia excesiva en tu futuro. Ya es hora de que empieces a tomar las riendas de tu vida.

Estrés

¿Te ha ocurrido, alguna vez, quedarte con la mente en blanco cuando estabas a punto de pronunciar un discurso? ¿Ha habido alguna ocasión en la que has sido incapaz de recordar un nombre o un dato que conocías muy bien? Si te ha pasado esto, lo más probable es que te ocurrió en el peor momento, justo cuando querías precisar una idea o cuando todos te miraban aguardando lo que les tenías que decir.

Estos lapsos temporales de memoria ocurren, frecuentemente, cuando nos hallamos bajo estrés o tensión nerviosa. Tendrías que haber sido alguien fuera de lo normal, para no sentir cierto nerviosismo en el momento de pronunciar un discurso o de presentarte a un examen. No importa lo bien que conocieras el tema. Es normal que el nerviosismo produzca estrés y que el estrés, a su vez, produzca ansiedad. Quedas ahí, dentro de un círculo vicioso del que parece que no hay escape: cuanto más intentas pensar con claridad, tanto más difícil te resulta conseguirlo.

En estas circunstancias, suele recomendarse el respirar profundamente, por unos breves momentos, a fin de aliviar la presión y reducir el pánico. Sin embargo, la mejor manera de contrarrestar el estrés es tomar medidas preventivas. Supongamos, por ejemplo, que te han pedido que des una conferencia en una organización local. He aquí unas simples medidas que puedes tomar para el caso:

1. Conviene que te prepares con cierta antelación a la fecha del suceso. Dos o tres semanas antes sería lo ideal. Es el momento de comenzar a practicar una relajación técnica. Puedes decidirte por usar algunas de las muchas audiocasetes de relajación que hay en el mercado, puedes acudir a unas sesiones de yoga o puedes intentar el ejercicio de relajación descrito en la pág. 67. Verás que es un ejercicio que, además de ocuparte durante diez agradables minutos cada día, te hará bajar la tensión arterial y relajará gran parte de tu tensión muscular.

2. Sigue practicando diariamente la técnica de relajación que hayas escogido, hasta el día de la conferencia.

3. Practícala, una vez más, en la mañana misma del día de la conferencia y, antes de comenzar la misma, realiza unas cuantas respiraciones profundas y mírate a ti mismo/a con normalidad. No hace falta que cierres los ojos. Nadie sabrá lo que estás practicando, pero tu subconsciente relacionará automáticamente tu imagen con la sensación de relajación, y desaparecerá gran parte de la tensión. Ello evitará que te sobrevengan esos molestos lapsos de memoria, una vez que hayas comenzado a hablar.

Preparar el escenario

Has tomado la decisión –o tienes necesidad– de aprender algo. Es obvio, pues, que te sitúes en las mejores circunstancias, rodeándote de las mayores facilidades y comodidades que te faciliten el mayor éxito en tu empresa.

Dónde estudiar

Si vas a emplear mucho tiempo estudiando, lo ideal sería que tuvieras un lugar reservado para ello: una mesa o un pupitre que no se vaya a emplear para otras cosas. Pero, como no estamos en un mundo ideal, quizá el único sitio de que dispongas sea la mesa de la cocina o la mesa del comedor. Por de pronto, busca una silla cómoda que tenga la altura apropiada para ti. Pocas cosas impiden tanto el estudio como un asiento que te deje dolorida tu espalda o tus piernas. Hay algunos a quienes les gusta estudiar sentados en el suelo o en una butaca de brazos. Sin embargo, si quieres estudiar en serio, es mucho mejor sentarse ante un pupitre o una mesa que arrellenarte en un sofá. Una mesa te proporciona espacio para dejar libros y papeles y, sobre todo, te da la sensación de que vas en serio, te sitúa en el verdadero marco ¡y evita que te duermas! Aunque al principio te cueste algo, verás que, a la larga, es la postura ideal para el estudio.

Trata de conservar tu mesa lo más desembarazada posible. Es verdad que necesitarás algunos libros, papel, bolígrafos, etc., pero si toda la mesa está cubierta de libros, papeles y tazas de café vacías, te será mucho más difícil concentrarte. La misma presencia de todo ese batiburrillo te puede crear una sensación de estrés, que es, precisamente, lo que tratamos de evitar.

Comodidad

Cuanto más cómodamente te encuentres, menos te distraerás. La temperatura de la habitación ha de ser agradable, pero no excesivamente caliente, no sea que te adormezcas. Procura que esté suficientemente aireada. Puede que en invierno haga demasiado frío para tener abierta la ventana, y te vendrá bien levantarte de vez en cuando y asomarte afuera para realizar unas respiraciones profundas. El aire cargado y el tufo pueden aletargarte.

También tu ropa tiene que ser cómoda. Si te aprieta el cinturón o los zapatos, quítatelos. Lo mejor es una ropa ligera, caliente y cómoda.

Conócete bien

¿Discurres mejor por la mañana o por la noche? Donde sea posible, trata de adaptar tu tiempo de estudio a tu personalidad. No adelantas nada haciéndote las cosas más difíciles, de manera que quizá tengas que hacer algunos cambios en tu rutina diaria, para que tu tiempo de estudio coincida con tus momentos mejores durante el día.

Tal vez seas una de esas personas que sólo pueden estudiar en completo silencio o, por el contrario, te ayude una música de fondo. Se trata de saber qué situación te ayuda más a estudiar. Si decides usar música, será mejor que sea música sin palabras, puesto que éstas pueden entrar en tu inconsciente e impedir tu progreso en el estudio. Quizá te ayude el usar siempre, como fondo, la misma pieza de música, ya que situará a tu inconsciente dentro del marco más apropiado.

Planifica tu tiempo

Sentirás tentaciones de suspender el estudio y dejarlo para más tarde (sobre todo cuando el tema es difícil y te exige mucho esfuerzo). Lo que tienes que hacer es planificar bien tu tiempo de estudio, y hacerlo de una manera realista. Es mejor decidirte a emplear una hora de estudio al día, y cumplirlo a rajatabla, que prometerte que vas a estudiar cuatro horas al día, sólo para dejarlo a los cuatro días (o antes).

Hacer interrupciones

Podrás pavonearte de haber estudiado ocho horas seguidas pero, aun suponiendo que fuera verdad, no te habrías hecho ningún favor con ello. Lo primero, porque no podrías seguir haciéndolo así. Y además, porque pronto te rendiría el agotamiento y no se te quedaría nada de lo hubieras aprendido de esa manera. El eminente investigador francés,

Henri Pieron, ha demostrado que somos más capaces de recordar lo que hemos estudiado, si interrumpimos nuestro estudio más o menos cada treinta minutos.

Pero una interrupción, tiene que ser una *verdadera* interrupción. No te quedes en la misma postura en que estabas. Levántate y da unos pasos, juega con el gato o riega las macetas. Lo que hagas no te va a llevar más de cinco minutos, pero los resultados serán notables. Volverás con mejor talante a tu mesa y con mejor capacidad para adquirir nuevos conocimientos.

Está también comprobado que recordamos mejor aquello que hemos aprendido al principio o al fin de cada sentada. Observa los diagramas que vienen a continuación y verás que la 'curva' de quien estudia tres horas seguidas, sin interrupción, tiene sólo dos áreas de máximo recuerdo.

Suponte ahora que nuestro aplicado estudiante ha distribuido los períodos de estudio en sesiones de media hora.

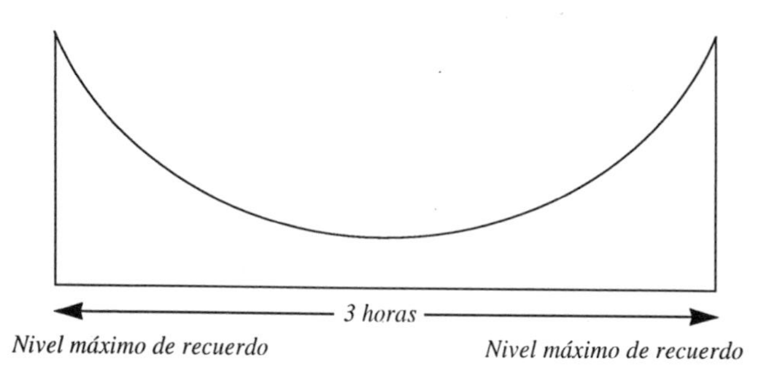

En este caso, tendríamos doce áreas de capacidad máxima de recuerdo (al principio y al fin de cada sesión).

Ninguna de las sugerencias que te acabamos de hacer va a poder suplir el verdadero esfuerzo de estudiar que has de poner por tu parte pero, si las practicas, puede que te hagan las cosas más fáciles y confortables.

En el capítulo siguiente, veremos formas más creativas de pensamiento que nos pueden llevar a la adquisición de conocimientos con menos esfuerzo del que hubieras creído que era necesario.

2

El pensamiento creativo

En el Capítulo 1º has respondido a una lista de doce preguntas encaminadas a indicarte si tu cerebro predominante es el derecho o el izquierdo. Para descubrir un poco más acerca de ti y de la manera como piensas, vamos a ver cómo reaccionas ante esto:

1 + 1 =

La solución más obvia es la que te ha venido inmediatamente a la cabeza, a saber: 1 + 1 = 2. Esta respuesta es, desde luego, correcta. Quiero decir que es *una* de las posibles respuestas correctas. Hay otras varias, por ejemplo:

1 + 1 = 11
1 + 1 = T
1 + 1 = X
1 + 1 = L
1 + 1 = V

y podríamos continuar...

La respuesta obvia nos llega a través de un proceso no-analítico o no-creativo. Las otras respuestas son el resultado de un pensamiento creativo o imaginativo. El pensador creativo usa su imaginación para mirar el asunto desde todos los puntos de vista y aportar el mayor número posible de soluciones. El pensador no-creativo (cerebro izquierdo) sólo aporta un punto de vista relativamente estrecho.

El pensamiento creativo es algo que puedes desarrollar en tu mente, aunque necesitarás cierta práctica, pues nuestra educación occidental no propicia el uso de nuestras mentes en ese campo. Lo cierto es que tu manera de pensar puede influir en muchos aspectos de tu vida, ya seas estudiante, ya tengas que llevar un negocio y tomar decisiones.

Ahora te presento otro test. Toma dos minutos para escribir todos los empleos que podrías dar a una aguja metálica de hacer punto. Hazlo ahora mismo, antes de leer lo que sigue.

Bien, ¿cómo te ha ido? Los que han respondido a este test han señalado entre dos y veinte usos diversos; la mayoría, una media de ocho. Utilizando el pensamiento creativo, serías capaz de señalar tantos cuantos puedas redactarlos dentro del tiempo señalado. Un alumno de uno de mis seminarios fue capaz de dar 113 respuestas, aunque resultó muy difícil descifrar su caligrafía. Estas respuestas incluían la respuesta obvia: hacer punto; la verosímil: hacer de rodrigón a una planta de maceta; y otras totalmente ridículas. Lo cierto es que nadie le exigió que fueran respuestas verosímiles sino, sencillamente, posibles.

He aquí algunas de las respuestas que nos dio. Seguro que te llevan a idear otras varias de tu propia cosecha:

- extraer el jugo de un limón pinchándolo con la punta de la aguja
- aplicar un torniquete
- desenredar una madeja muy enmarañada
- servir de asta para una banderita de papel
- como tablilla para fijar la pata rota de un perro
- como regla para trazar una línea recta
- desatascar el lavabo
- pinchar y recoger papeles del césped
- mojarla en el tintero para escribir con ella

Por los ejemplos citados aquí arriba, comprenderás que el pensamiento creativo implica el ampliar lo más posible la mente y la imaginación. Procurando esto por medio de ejercicios relativamente sencillos ayudarás a que tu mente se acostumbre a algo más que a seguir las rígidas pautas de pensamiento a las que estamos acostumbrados la mayor parte de nosotros. En cambio, el pensamiento creativo te será de gran utilidad en cualquier proceso de aprendizaje que emprendas.

Brainstorming (amontonar ideas)

Uno de los usos del pensamiento creativo es el "brainstorming". Este no es un concepto muy reciente, ya que fue promulgado en 1930, en los Estados Unidos, por Alex Osborn. No obstante, al correr del tiempo, ha quedado oscurecido el verdadero significado de la palabra, y ahora generalmente se piensa que no significa otra cosa que un grupo de personas que se han reunido para ir lanzando ideas. Lo cierto es que esto es sólo una parte de todo el proceso. Y hay que tener en cuenta varios puntos esenciales durante una reunión de brainstorming:

1. Para que la sesión sea efectiva, han de participar al menos ocho o diez personas, aunque podrían llegar hasta veinte, siempre que el director de la sesión sea capaz de controlar todo el procedimiento.

2. Hay que elegir un director para la sesión, cuyo cometido consistirá en determinar inicialmente el problema y luego encauzarlo a intervalos regulares. Procurará también que haya alguien que tome nota de todas las ideas que vayan surgiendo. Como verás, algunas de estas ideas serán tan nuevas (o tan extrañas) que, si nadie las escribe, pueden correr peligro de perderse para siempre. El director ha de cuidar, también, de que cada miembro del grupo tenga las mismas oportunidades para exponer sus ideas, porque de otra manera, toda la sesión caerá en manos de los más extrovertidos.

3. El problema se pone por escrito y se coloca a la vista de todos durante toda la sesión.

4. El director de la sesión presenta el problema en forma de pregunta (¿Cómo podremos...?). Por ejemplo, podría decir al grupo que los beneficios de la empresa han disminuido durante el pasado año. Entonces, les preguntaría:

“¿Cómo podremos incrementar los beneficios durante los próximos seis meses?”.

5. La sesión queda abierta para todos los miembros del grupo, y a cada uno se le anima a presentar el mayor número posible de ideas durante un tiempo determinado. Lo que sí es importante recordar es que (y aquí entra el pensamiento creativo) *todas* las ideas son bienvenidas, sean éstas verosímiles, extrañas o incluso ridículas. Nadie ha de meterse con quien proponga una solución ni decirle que su idea es impracticable o estúpida; la evaluación vendrá más tarde.

6. Cuando haya llegado la hora, el director dará por terminada la sesión. Más tarde se procederá a la consideración de *todas* las sugerencias anotadas.

Por lo que acabamos de describir, te habrás dado cuenta de que una sesión de ‘brainstorming’ no tiene el talante solemne que, normalmente, suelen tener las reuniones de negocios, sino que, al contrario, abundan las risas y cierto bullicio, según van apareciendo las sugerencias. Todo lo cual es bueno, pues crea una atmósfera que propicia ideas espontáneas y creativas.

7. Ahora es tiempo para que el director introduzca una mayor seriedad en la sesión, a fin de comenzar la evaluación de las ideas. (Resultará muy oportuna una interrupción de unos cinco minutos, con objeto de que los participantes adopten una actitud menos bulliciosa). Ahora el grupo irá considerando cada una de las sugerencias, por muy impropias o improcedentes que algunas parezcan. Resulta sorprendente que, muchas veces, una idea aparentemente ridícula, sometida a una inteligente adaptación, venga a resultar muy aceptable. Ocurre que el perro se ha roto una pata, y lo único que tenemos a mano es una aguja de hacer punto; ¿por qué no intentar utilizarla provisionalmente?

El ‘brainstorming’ puede resultar efectivo, tanto para una organización que ha de tomar una decisión corporativa como para un individuo que ha de tomar una decisión personal. El truco es el mismo: acumular el mayor número posible de ideas, desde las verosímiles hasta las ridículas, dentro de un determinado lapso de tiempo. Hay tiempo después para descartar las más disparatadas.

El pensamiento creativo, muchas veces, implica el relacionar ideas normalmente no relacionadas; algo que suele suceder con los chistes o las anécdotas jocosas, en los que, ideas distanciadas se juntan en lo que llamamos el 'golpe'. Además, el pensamiento creativo nos hace salir de las ideas preconcebidas. Es lo que ocurre en esta anécdota:

Son las siete de la mañana. El desayuno está en la mesa, y la madre va a la habitación de su hijo. "¡Paco, levántate! Vas a llegar tarde al colegio. Tu desayuno está ya preparado". Paco suelta un gruñido y se da media vuelta en la cama.

Diez minutos más tarde, la madre vuelve a la habitación de su hijo. Ahora está furiosa. "¡Levántate de la cama!", le grita. "Vas a llegar tarde".

Paco abre los ojos y mira a su madre. "Hoy no quiero ir al colegio", dice. "En el colegio hay mil alumnos y todos me odian; hay veinte maestros y todos ellos también me odian. Dame una buena razón para que tenga que ir".

"Te voy a dar dos razones", replica su madre. "Una: tienes cuarenta y cinco años; y dos: eres el director del colegio".

Lo único que hace que la anécdota sea divertida es la sorpresa: que se trata de un hombre de cuarenta y cinco años, y que es el director del colegio. Lo cierto es que, en ningún sitio de la historieta se dice que el protagonista sea un niño. Son nuestras ideas preconcebidas las que nos llevan a esa conclusión. Automáticamente, relacionamos el colegio con niños; y porque una madre vaya a despertar a su hijo, *suponemos* que se trata de un colegial. El pensamiento creativo trata de que olvides tus ideas preconcebidas y dejes de hacer suposiciones. Esto es, precisamente, lo que han hecho, durante siglos, los grandes pensadores. El pensamiento creativo no brota de una mente llena de prejuicios.

Ponemos obstáculos en nuestro camino

Debido a nuestra educación y a que, predominantemente, hemos ejercitado el cerebro izquierdo, tenemos propensión a levantar obstáculos en nuestro propio camino cuando se trata de pensar creativamente.

1. Suponemos que, ante un problema dado, sólo hay una respuesta correcta. Pero ya has visto que eso no es así. Puede que haya una respuesta que sea mejor que las otras, pero las otras existen.

2. Tenemos miedo de parecer locos. Por esto resultan tan oportunas las sesiones de 'brainstorming', en las que se anima a decir lo primero que se te ocurra, por ridículo que ello sea. Si, en tu caso, no tienes oportunidad de formar parte de un grupo de 'brainstorming', ¿por qué no empleas dos minutos cada día para discurrir todos los usos que podrías dar a cualquier objeto de tu casa? Te entrenaría para pensar creativamente y para quitarte de la cabeza la idea de que ello sea una locura.

3. A muchos les pone nerviosos el hacer las cosas de una manera diferente a la que ellos consideran 'normal'. Esto ya no te va a ocurrir a ti. Porque has decidido ampliar los límites de tu pensamiento para aprender con más facilidad y mejorar tu memoria. De no ser así, no estarías leyendo este libro.

4. Miedo al fracaso. El fracaso es algo con lo que hay que enfrentarse de vez en cuando, y puede redundar en bien, si sabemos sacar buen partido del mismo. Hay una enorme diferencia entre 'fracasar' y 'ser un fracaso'. Lo primero forma parte del proceso de aprendizaje, mientras que lo segundo supone una actitud mental negativa. Observa a un niño pequeño que aprende a andar, y verás cuántas veces se cae. ¿Crees tú que piensa: "Me he caído, luego soy un desastre, soy incapaz de andar"? Nada de eso: se levanta y vuelve a intentarlo, hasta que aprende lo importante que es conservar el equilibrio. Pues si un niño pequeño puede hacerlo, lo mismo puedes tú.

5. Descorazonarse ante los obstáculos. Un obstáculo puede ser un problema insuperable o puede ser algo que te invite a reflexionar. Un piloto de aviación en vuelo de Londres a Los Angeles ha estudiado muy bien su ruta y la ha planeado perfectamente. Pero pueden surgir dificultades durante el trayecto: un pasajero se pone gravemente enfermo; sobreviene una avería en uno de los motores; se encuentra con una tormenta imprevista. ¿Qué va a hacer? Puede que varíe su ruta; que realice un aterrizaje de emergencia; que intente cualquier otra solución. Lo que no puede hacer es quedarse pasivo y decirse a sí mismo que nunca llegará a Los Angeles. Lo que tiene que hacer es rehacer sus planes, considerar los obstáculos y tomar nuevas decisiones.

Cualquier empresario puede haber estado empleando horas y horas en planificar una campaña para mejorar los resultados en el año próximo, y encontrarse que su plan fracasa por circunstancias que caen totalmente fuera de su control. Inesperadamente, le falla su principal proveedor, surge una huelga imprevista, se presentan problemas imposibles de predecir. Le quedan dos actitudes que tomar: sentarse en su despacho con la cabeza entre sus manos, lamentando su mala suerte, o poner en marcha todos sus conocimientos y su pensamiento creativo para buscar una salida a sus problemas.

6. Rechazar automáticamente una idea que parezca un tanto 'diferente'. Si te ha ocurrido esto, reconoce que es el resultado de la programación mental que has tenido hasta ahora; reconoce también, que depende de ti el seguir discurriendo en el futuro como has venido discurriendo hasta ahora. Sin ideas 'diferentes', ¿cómo podríamos jamás inventar algo nuevo o crear cualquier obra de arte?

7. La tendencia a tomar decisiones precipitadas. Es verdad que hay momentos en los que es esencial una decisión instantánea; si estás de pie en una carretera, y ves que se te viene encima un camión, tienes que decidir rápidamente lo que tienes que hacer. Hay también otras ocasiones en las que esa primera reacción instintiva resulta ser la buena. Pero esto no quiere decir que, normalmente, no hayas de tomarte tu tiempo para evaluar otras ideas; puede que saques mucho beneficio de ellas, aun en el caso en que decidas que tu primera idea era la mejor.

8. Tomar el camino más fácil. A veces nos sentimos tan felices y aliviados por haber hallado una solución a nuestro problema, que no nos preocupamos de ver si hay otra solución mejor. Un poco de pensamiento creativo extra podría mostrarnos que hay otras –quizá mejores– soluciones. Recuerda que las mentes son como los paracaídas: sólo funcionan cuando están abiertos.

Pensamiento lógico

Con todo lo dicho no he querido sugerir que el pensamiento lógico (cerebro izquierdo) no sea valioso y no constituya una parte vital del proceso hacia el éxito. Pero no es suficiente *por sí solo*. Tiene que formar parte de un todo. Si el inventor de la rueda, de esto hace ya muchos siglos, no hubiera combinado el pensamiento creativo con el pensamiento lógico, estaríamos aún caminando a pie. El pensamiento creativo le suministró la idea, mientras el pensamiento lógico le proporcionó la manera de convertir la idea en realidad.

De la misma manera, el artista que contempla el bloque frío y duro de mármol, tiene que contemplar, antes que nada, con el ojo de su mente, la estatua que desea crear. Ahora bien, esta visión sería inútil, si no ha logrado adquirir las técnicas necesarias para usar las herramientas y trabajar la piedra. Una vez más, se requiere el equilibrio entre el cerebro izquierdo y el derecho para producir la obra terminada.

Imaginación

La imaginación es un componente vital del pensamiento creativo. Sin una brillante imaginación, mi estudiante nunca hubiera sido capaz de hallar los 113 usos para la aguja de hacer punto. Nada se habría inventado sin la imaginación. El futuro inventor tiene que imaginar primero aquello que quiere crear, y luego buscar el camino para llegar a ese fin. Una vez que ya estaba inventada la radio, probablemente fue mucho más fácil el inventar la televisión, ya que el futuro inventor sabría lo que quería producir: una radio con imágenes. Tal vez se dijo a sí mismo: “¿No sería bonito que, además de oír a la gente por la radio, pudiéramos también verla?”. Pues bien: intenta tú también repetirte estas mismas palabras: “¿No sería bonito que...?”.

Visualización

La visualización implica el uso deliberado de la imaginación. La capacidad de visualizar lo que deseas será, muchas veces, el primer paso para conseguirlo. Es éste un medio tan vasto e importante para adquirir conocimientos y mejorar la memoria, que verás que le hemos dedicado todo el Capítulo 5º.

Mucha gente célebre ha utilizado la visualización para ayudarles a resolver sus problemas. Einstein, Edison y Galileo, entre otros, nos han manifestado que programaban deliberadamente sus mentes viendo con la imaginación lo que querían realizar y dejando que el mecanismo de su cerebro hiciera su propio trabajo, frecuentemente, mientras dormían. Puedes intentar tú lo mismo. Si tienes que resolver algún problema práctico, piensa en él cuando vas a la cama por la noche. No trates de hallar la solución, simplemente introduce toda la información y todos tus objetivos y luego, como solemos decir, 'duerme sobre ello'. En muchos casos, te despertarás, o bien con la solución en tu mente o bien sabiendo cuál es el siguiente paso que debes tomar.

Cuanto más permitas que la imaginación y la visualización intervengan en el proceso de aprendizaje, tanto más fáciles te resultarán la adquisición de conocimientos y el recuerdo de los mismos. Es mucho más fácil recordar una imagen que un principio abstracto. Y si eres capaz de crear una serie de imágenes, en vez de una, tanto mejor.

Cuando estaba en el colegio, tuve la suerte de tener una profesora de historia que nos hacía representar los acontecimientos históricos que teníamos que memorizar. Esto nos hacía penetrar en los personajes que representábamos y ver más profundamente las razones y los resultados de sus acciones. Por unos instantes, aquellos personajes 'éramos' nosotros, teníamos sus virtudes y sus vicios, comprendíamos por qué hicieron lo que hicieron y luego los recordábamos con toda facilidad. No sólo tuvimos éxito en el examen de historia, sino que podría contarte ahora lo que aprendimos en aquella clase de historia, ¡y de esto hace ya más de treinta años!

Por otro lado, mi profesora de geografía tenía ideas muy distintas. Nos endilgaba listas interminables de datos para que los aprendiéramos de memoria. Piezas fascinantes de conocimiento, como ¡la precipitación media de lluvia en Karachi durante el mes de Octubre! (Y pido perdón a los habitantes de Karachi, si es que allí no llueve en Octubre). Las listas eran tan aburridas e insípidas, que no las he vuelto a recordar jamás.

No te llevará mucho tiempo el adivinar cuál de los dos fue el método más efectivo. Sólo te diré que la geografía y yo rompimos relaciones hace ya muchos años.

Pero suponte que la profesora de geografía lo hubiera hecho de otra manera. Suponte que hubiera contado a sus discípulos que, debido al clima de una determinada parte del mundo, la agricultura tenía que emplear cierta clase de vegetales, las casas tenían que ser de una clase y aspecto peculiares y la gente tenía que usar tales o cuales ropas y vivir de esta o de la otra manera. Los alumnos habrían ejercitado su imaginación, se habrían visto a sí mismos viviendo en aquella parte del mundo y habrían desarrollado un interés geográfico que hubiera llegado mucho más allá que el examen de geografía.

Mapas de ideas

Los mapas de ideas son una buena ayuda para el pensamiento creativo y nos pueden servir en cualquier aspecto de la vida: desde el diseño de un plan quinquenal para tu empresa, hasta la lista de cosas que tenemos que llevar para las vacaciones.

Gracias a nuestra educación, a base de cerebro izquierdo, todos manejamos listas, pero de una forma muy limitada. Un mapa de ideas desborda todas esas limitaciones. Vamos a suponer que tienes que escribir un ensayo o un artículo sobre jardinería. Normalmente, empezarás por tomar nota de algunos temas que quieres tratar. Tu lista, tal vez, comenzaría así:

1. Tierra
2. Plantas ornamentales
3. Plagas
4. Césped
5. Hortalizas

El problema está en que, para cuando has escrito la palabra 'Hortalizas', ya te has olvidado del tema del número uno, 'Tierra', y mucho más si es que has numerado los temas en tu lista. El mapa de ideas hace todo lo contrario: deja abiertos todos los caminos para ulteriores exploraciones.

Vamos a trabajar sobre el mismo artículo sobre Jardinería. Para diseñar tu mapa de ideas, toma una *amplia* hoja de papel. Escribe en el centro la palabra 'Jardinería' y traza un círculo en torno a la misma. Luego, para cada idea o tema, traza una línea desde el círculo y escribe la palabra. En el ejemplo que muestro a continuación, he utilizado los cinco temas de la lista de arriba, como temas principales. Y, si te fijas en el mapa de ideas expuesto aquí, verás que cada tema ha suscitado varios sub-temas. Pero ocurre que, debido a la forma y plan del mapa, ninguna sección queda cerrada. Puedes seguir añadiendo más y más sub-temas hasta que acabes con las ideas (o con el papel). Una vez terminado el mapa, verás que tienes temas o ideas más que suficientes para tu ensayo o tu artículo. En realidad, cada sub-tema puede suponer, por sí mismo, la base de todo un artículo.

Elementos

Modificar la estructura   Marcas de compost de la tierra

Plantación complementaria   Kits comerciales   Hecho en casa

Herramientas

Variedades   Cuidados orgánicos   Análisis   Compost   Turba

Cavar   Dibujar los bordes

Cuadros   Hortalizas   Tierra

Herbáceas

Fertilizantes   Césped   JARDINERIA   Plantas   De semilla

Anuales

Plan anual   Siega   Musgo   Plagas   Invernadero

Prevención   Sprays   Alpinas

Tipos de segadora   Calefacción

Predadores naturales   Trampas   Ventilación

Cómo llegar a ser una persona más creativa

Otra forma de llegar a ser un pensador más creativo es tratar de aumentar la creatividad en el resto de tu vida. Los cambios que te sugerimos podrán ser, relativamente, pequeños pero te ayudarán a desarrollar una actitud más creativa y, según vaya tu mente absorbiendo las diversas facetas del cambio, verás que tus procesos mentales empiezan también a cambiar.

Aquí van unas cuantas sugerencias para que puedas introducir más creatividad en tu rutina diaria:

1. Adopta un hobby artístico o creativo. Por ejemplo, pintar, dibujar, modelar la arcilla, formar ramos de flores, cantar o tocar algún instrumento; hay muchas actividades entre las que puedes escoger. No importa si hace ya muchos años que practicas algo de esto o que creas que no tienes ningún talento para estas cosas. No vas a tener que arrancar aplausos desde el escenario del Teatro Real ni vas a tener que pronunciar un discurso en la Real Academia de la Lengua. Lo más importante es que, el hobby que escojas sea, para ti, algo placentero y suponga un contraste total respecto a tu acostumbrada rutina diaria.

2. Dedica unos ratos a soñar despierto/a. Señala unos períodos durante los cuales no tengas nada que hacer, fuera de entregarte al vuelo de tu fantasía. Puedes emplear este tiempo reviviendo recuerdos felices de los lugares que has visitado o de la gente que has conocido. Puedes también pensar en las esperanzas que tienes para tu futuro o el de tus hijos. Pon en marcha estos ensueños diciéndote: '¿Te acuerdas...?' o '¿Qué pasaría si...?'.

3. Pon un poco más de atención a tus sueños nocturnos. Como ocurre a muchos, probablemente también a ti te será difícil recordarlos, después. El sueño está gobernado por la parte derecha del cerebro y, por tanto, es creativo por naturaleza. Y, en el caso de que el soñador no sea el protagonista de la 'escena', siempre serán sus emociones las que queden afectadas por lo que se está representando. No soy una experta en interpretación de sueños, pero pienso que te será beneficioso el tomar nota de tus sueños para ver si aparece algún esquema que trata de decirte algo importante sobre ti.

Pocos de nosotros recordamos nuestros sueños, sin embargo, no es difícil aprender a hacerlo. Estas sugerencias te pueden ayudar:

- Antes de ir a la cama, pon un bolígrafo y papel (o, si prefieres, una grabadora) sobre la mesilla de noche.
- Al despertarte, por la mañana, toma la costumbre de quedarte en la cama con los ojos cerrados y manteniendo la última imagen de tu sueño. Deja ahora que esta imagen te conduzca a las otras anteriores. (Al empezar a practicar esto, quizá te pase que lo único que puedes recordar es la imagen final. No te preocupes; todo llegará con la práctica).
- Toma nota de todo lo que recuerdes, ya sea en tu cuaderno o en la grabadora. Hazlo antes de levantarte de la cama, ya que la actividad física parece que dispersa las impresiones que puedas retener de tus sueños.

4. Intenta sacar tiempo para leer algo que no tenga nada que ver con tu trabajo o tus estudios. Lo mismo da que sea ciencia-ficción, literatura del corazón o poesía clásica. Lo que importa es que sea algo completamente distinto a los libros o revistas que *tienes* que leer.

5. Hojea libros ilustrados o revistas gráficas de arte o decoración interior. No importa si te gustan más o menos, lo que importa es que entrenes tu mente para absorber gran variedad de formas, diseños o conceptos.

6. Cambia tus puntos de vista (¡literalmente!). Mueve los muebles, de manera que veas algo diferente cuando te levantes por la mañana o cuando te relajes en tu butaca favorita. En la oficina, cambia la orientación de tu mesa, de forma que mires en otra dirección. Si no puedes realizar alguna de estas cosas, cambia los cuadros de las paredes y los libros y objetos de las estanterías. Después de algún tiempo, podrás volver a poner las cosas como antes, pero, al menos habrás intentado ver las cosas de una manera diferente y te habrás convencido de que siempre se pueden ver las cosas desde otra perspectiva.

7. Cuando escuches música –ya sea Wagner o 'rock'– deja que ella cree imágenes en tu mente. En lugar de dejar que la música sea un fondo a tu rutina diaria, siéntate, cierra los ojos y deja que el sonido llene tus pensamientos. Quizá experimentes que aparecen imágenes detalladas en tu mente, o que tu cabeza se llena de formas abstractas y colores. En cualquier caso habrás experimentado un nuevo mundo de creatividad.

8. Rompe tu rutina o cambia tus hábitos diarios. ¿Vas *siempre* al trabajo por el mismo camino? ¿Vais *todos* los años a la costa durante las vacaciones? ¿Vais *siempre* a visitar a la tía Rosario el domingo siguiente a Pascua? ¡Es tan fácil quedar agarrotados y anquilosar nuestro pensamiento creativo...! Siempre que hagas algún cambio, puede que te abras a un nuevo mundo de experiencias. Una nueva ruta puede premiarnos con un bello paisaje o con toda una serie de interesantes escaparates; unas vacaciones en el campo quizá te sienten mejor que una playa abarrotada de gente; si visitáis a la tía Rosario en invierno, os va a recibir con un magnífico fuego de hogar y unas torrijas exquisitas para merendar. Basta con sintonizar una emisora distinta de radio o televisión, para enriquecerte con un nuevo punto de vista, otro tipo de música u otras opiniones sobre la actualidad.

9. Si perteneces a una sociedad o un club, muchas veces te van a hacer ver alguna cosa desde un punto de vista distinto al tuyo. El ver las cosas desde otro ángulo suele ser creativo y amplía la mente. Quizá no pertenezcas o no tengas tiempo para pertenecer a uno de estos grupos, pero siempre puedes practicar este juego con tus familiares o amigos:

Proponed un tema y escribid en diferentes papeletas los distintos puntos de vista sobre ese tema. Poned las papeletas en una caja. Cada uno ha de sacar una papeleta y defender el punto de vista escrito en ella, aunque sea diametralmente contrario a la propia opinión. El valor de este juego consiste en que nos ayuda a ver las cosas desde ángulos distintos al nuestro.

10. Trata de añadir espontaneidad a tu vida. Haz cosas improvisadas, además de las cuidadosamente planeadas. Naturalmente, esto no lo has de hacer en todos lo aspectos de tu existencia, pero estoy seguro de que sabrás hallar áreas en las que una acción espontánea podrá introducir alegría y chispa en medio de la rutina general.

Relájate

Hemos visto, en el Capítulo 1º, que la relajación te puede ayudar mucho en circunstancias específicas. Pero es que, la relajación puede ser beneficiosa también en otras situaciones:

Planificación

No trates de conseguirlo todo demasiado aprisa; así bloquerás todo el pensamiento creativo. Comienza a tiempo y trata de observar una actitud mental relajada, planificando tu estudio y decidiendo con realismo cuánto podrás hacer en un determinado lapso de tiempo. Si lo haces así no te pondrás bajo una presión que te produzca tensión y dificulte todo el proceso de tu aprendizaje.

Ondas cerebrales

El cerebro tiene cuatro frecuencias principales: beta, alfa, zeta y delta. El estado alfa es el que facilita la rápida asimilación de datos y crea una gran capacidad de recuerdo. Es el estado (de cerebro derecho) en el que puedes tener ensoñaciones y en el que la imaginación se encuentra plenamente capacitada para desempeñar su papel. Es también en el estado alfa en el que experimentas los destellos de la inspiración. Pero, si no te encuentras en estado de relajación, física y mental, no podrás entrar en el estado alfa.

Actitud mental

Has de aceptar el hecho de que, cualquiera que sea tu historia académica, *puedes* aprender a aprender. Has estado aprendiendo cosas toda tu vida. Piensa en la multitud de cosas que eres capaz de hacer. Andar, hablar, arreglar un enchufe, hablar una lengua extranjera, cantar una canción, hacer una tortilla o redactar una tesis sobre cálculo diferencial..., todo esto es algo que has aprendido a hacer. Y no sólo has adquirido conocimientos, sino que los has retenido y los has recordado cuando querías hacerlo. Si no hubiera sido así, cada experiencia te parecería algo totalmente nuevo. Pues bien, si puedes recordar cosas que has hecho, no hay razón por la que no puedas también recordar otras nuevas técnicas.

Puedes desarrollar tu habilidad de pensar creativamente, si consigues que la relajación forme parte de tu vida. Y no me refiero a esa clase de relajación que consiste en sentarte y no hacer nada (aunque tampoco esto es malo de vez en cuando). Pero si adquieres el hábito de practicar la relajación durante diez o quince minutos al día, verás que es mucho más fácil entrar en el estado alfa, y que el aprender dejará de ser una batalla.

Hay muchas maneras de aprender a relajarse. Quizá prefieras usar la técnica básica descrita en el Capítulo 5º, o prefieras asistir a una clase de yoga o meditación, o decidas buscar la ayuda externa de un terapeuta de la relajación, o comprarte una casete sobre el tema. Poco importa la manera de aprenderla. Es la práctica regular de la misma, la que introducirá una diferencia en tu vida y en tu capacidad de aprendizaje.

3

Cómo mejorar tu memoria

Todo lo dicho hasta ahora acerca del uso creativo de tu mente viene muy bien a cuento cuando tratamos de estudiar la memoria y sus funciones. Con la práctica, puedes llegar a dominarla. Ya no se tratará de si 'puedo recordar' o si 'no puedo recordar'. Combinando el pensamiento creativo con las técnicas descritas en este y otros capítulos, y aprovechando los conocimientos que ya posees, aprenderás a asimilar conocimientos con mayor facilidad y a recordarlos cuando lo desees.

Aunque estemos hablando de 'memoria' y de 'recuerdo', como si se tratara de un único proceso, en realidad, se trata de dos estadios completamente separados:

- la capacidad de retener información en un primer momento, y
- la capacidad de recordarla a voluntad.

Muchos de nosotros somos capaces de retener información en un grado muy superior al que creemos, aunque a veces nos falle nuestro mecanismo de recuerdo. Esto aparece muy claro cuando, sometidos a hipnosis, somos capaces de recordar con gran detalle hechos o sucesos de los que no teníamos memoria consciente. Suponiendo que los hechos en cuestión sean, en sí mismos, memorables (para bien o para mal), o que tú pretendas que sean recordados, quedarán guardados en tu mente y dispuestos para ser recordados en una fecha posterior.

Por supuesto que muchas de las circunstancias en las que se ha recurrido a la hipnosis para activar el recuerdo implican acontecimientos traumáticos que la mente del sujeto ha reprimido deliberadamente para protegerse. Pero también es verdad, por ejemplo, que si en tu infancia eras capaz de hablar y comprender otra lengua que luego, de mayor, la has olvidado, la hipnosis puede ayudarte a recobrar tu antigua capacidad. Claro que tu dominio de esa lengua nunca será mayor del que tenías cuando la practicabas. Si tu vocabulario estaba reducido a expresiones infantiles, eso es todo lo que ahora serás capaz de recordar.

La memoria y la edad

Se ha creído durante mucho tiempo que la memoria se deteriora según nos vamos haciendo más viejos, pero esto está muy lejos de ser verdad. Hay sitio más que suficiente para almacenar toda la información que puedas necesitar en tu vida, y aún quedará mucho sitio libre. Imagínate que tu memoria es un músculo. Para extender y contraer fácilmente los músculos de tus brazos, piernas y cuerpo, los ejercitas regularmente. Pues bien, cuanto más ejercites tu memoria, se hará tanto más flexible y podrás recordar con mayor facilidad la información allí almacenada. Dedícate, pues, a observar más, a aprender más palabras y a grabarte más imágenes. Extiende tu memoria, para que te sirva mejor.

Una de las razones por las que hemos creído que la memoria decae con la edad se debe a que hemos pensado que, cuanto mayor sea el depósito de información almacenada en años de experiencias y conocimientos adquiridos, el proceso de clasificar y recobrar todo ello tendría que llevarnos más tiempo. También puede deberse a que, al hacernos menos observadores y al concentrarnos menos sobre las cosas, resulta que no retenemos la información en un primer momento. Sin retención no puede haber recuerdo, y el resultado de ello es lo que nosotros tendemos a llamar, una 'flaca memoria'.

Los tres estadios de la memoria

Hay tres tipos diferentes de memoria: inmediata, a corto plazo y a largo plazo.

Memoria inmediata

La información almacenada en la memoria inmediata dura sólo unos pocos segundos. La memoria inmediata hace que no nos olvidemos por qué vamos escaleras arriba o por qué hemos abierto el armario de la cocina. Una vez que nos ha proporcionado esa información, ya no se hace necesaria y será desechada como inútil por la mente.

Memoria a corto plazo

Aunque es posible que la memoria a corto plazo retenga algunos datos hasta dos años, serán necesarias algunas repeticiones para que esto suceda. Puesto que la memoria a corto plazo se borra con facilidad, sin esas repeticiones, puede que olvidemos el dato al cabo de treinta segundos. (Cuando miras un número en la lista de teléfonos, lo más probable es que lo escribas o que lo vayas repitiendo para retenerlo en la memoria hasta que lo marcas. Después lo dejas ir. Pero si acontece que tengas que volver a usarlo, lo más probable es que tengas que volver a tus notas o a la guía).

Sin embargo, es posible, en cualquier momento, dentro del período de los dos primeros años, trasladar la información a la memoria a largo plazo. Esto se consigue con el estudio repetido o con el repaso.

Veamos cuál es tu reacción ante las canciones populares. Si te agrada, en particular, alguna nueva canción, después de oírla un par de veces quedará almacenada en la memoria a corto plazo. Pero suponte que la canción se hace muy popular, que la oyes cada vez que enciendes la radio (es decir, que se repite bastante –lo que es una de las formas de repaso–); entonces, esa canción pasará a tu memoria a largo plazo. Después de muchos años, bastará que oigas los primeros compases, para que recuerdes tanto la música como la letra.

Otro ejemplo de memoria a corto plazo se da en el proceso de contar o numerar. Empiezas a contar el número de tarjetas que hay en un bloque. Como sabes que puedes recordar cada número en el brevísimo tiempo hasta el número siguiente, no te preocupas de repetirlo o de transferirlo a tu memoria a largo plazo. Pero suponte que has llegado al número 42, y que entra alguien y te interrumpe, mientras contabas, para hacerte una pregunta. Lo más probable es que el último número haya desaparecido de tu memoria y que tengas que volver a empezar la cuenta.

Sin embargo, es bueno que se borren cosas de nuestra memoria a corto plazo. Si no fuera así, estaríamos acumulando un desordenado montón de innecesaria confusión.

La memoria a corto plazo es capaz de retener unos siete datos a la vez. Con más de siete se perdería alguno (a no ser que lo repitamos y que, por lo mismo, se traslade a la memoria a largo plazo). Esto lo puedes comprobar fácilmente. Pídele a alguien que te lea un número de tres dígitos. No tendrás mucha dificultad para repetirlo. Haz lo mismo con un número de cuatro dígitos, luego de cinco, de seis y de siete. A no ser que te hayas ejercitado en ello durante algún tiempo, es dudoso que puedas repetir un número de siete dígitos, y no pasarías de ahí. Y si fueras una de las pocas personas capaces de repetir un número de siete dígitos, inténtalo después de un minuto. Como no te hayas pasado ese minuto repitiendo interiormente el número, serás incapaz de recordarlo. Lo mismo ocurre con una serie de siete o más letras.

No obstante, es posible superar este límite, hasta cierto punto, recurriendo a los agrupamientos. Dicho de otra manera: sería casi imposible recordar el número 0716439258. Pero si agrupas estos mismos dígitos como se hace con los números de teléfono, a saber: 071-643-9258, ya no resulta tan difícil. También la palabra DESCOMUNAL tiene diez letras, pero es fácil recordarla porque forma una palabra. El recordar diez letras sin sentido ya es otra cosa. Si tiene sentido la palabra, no es más difícil recordar una de diez letras que una de cuatro. Lo que prueba que los agrupamientos dan resultado.

Memoria a largo plazo

No hay límite para la cantidad de información que puedes almacenar en tu memoria a largo plazo; no es como un armario de donde tienes que sacar cosas viejas para hacer sitio a las nuevas. Además, tu memoria a largo plazo dura para siempre; todo lo que esté allí almacenado se puede sacar en cualquier momento. Normalmente, cuando usamos la palabra 'memoria', nos estamos refiriendo a la memoria a largo plazo.

Imagínate que tu memoria a corto plazo es la bandeja de ingresos que está sobre tu mesa; que tu memoria a largo plazo es un gran archivador y que cualquier dato es una hoja de papel. Cuando llega a ti el papel, puedes hacer varias cosas: lo miras, decides que no te interesa para nada, y lo tiras al cesto de los papeles; si te interesa puedes ponerlo en la bandeja de ingresos; y si ves que es muy importante, lo archivas enseguida y te preocupas de clasificarlo bien en el archivador, para que puedas volver a usarlo cuando quieras. Si pones el papel en tu bandeja de ingresos, pronto tendrás que hacer algo con él: puedes dar curso a lo que allí está escrito, y si ya no lo necesitas más, lo desechas (memoria a corto plazo). Pero tienes que hacer algo con él. Si lo abandonas en la bandeja de ingresos, pronto quedará cubierto por otros papeles más recientes, hasta que quede olvidado.

Cada vez que te pones, deliberadamente, a aprender algo, lo estás procesando desde la memoria a corto plazo a la memoria a largo plazo. Este proceso tiene tres etapas:

1. *Deseo:* tienes que *desear* recordar una determinada información.

2. *Repetición o repaso:* lo mismo que repites un nombre o un número de teléfono hasta que lo pones por escrito.

3. *Memorización:* insertar la información en tu archivador mental. Esto se consigue asociándolo con lo que ya conoces; en muchos casos, utilizando las técnicas de visualización (que se explicarán mejor en el Capítulo 5º).

¿Cuánto puedes recordar?

Depende de los siguientes factores, algunos de los cuales puedes modificar mientras que otros no puedes.

1. *Tu capacidad natural:* esto es algo que no se puede cambiar, pero esta capacidad es tan grande que no necesitas modificarla.

2. *La supresión:* ésta implica el bloqueo deliberado de la memoria por el subconsciente; una forma, muchas veces involuntaria, de protección instintiva. Se puede revocar pero, normalmente, se precisa ayuda profesional.

3. *Los efectos de la educación:* éstos pueden alterarse con la práctica y el ejercicio, como tratamos de probarlo en este libro. No hay barreras para tu habilidad de aprendizaje, como no sea que tú las pongas. Si estas barreras fueron colocadas por alguien en tu pasado y permites ahora que se queden ahí, entonces estás permitiendo que tu pasado te domine

4. *Tu propia motivación:* esto es algo que tú puedes cambiar. Aunque no sientas mucho entusiasmo por algunos aprendizajes que tienes que realizar, y éstos son necesarios para conseguir tus fines, acuérdate de estos fines y de las razones por las que quieres conseguirlos. Haz que te interese eso que tienes que estudiar, y lo recordarás. Piensa en la cantidad de cosas que recuerdas sin esfuerzo alguno (los nombres de las personas, hechos y datos que te interesan); verás cómo esta motivación juega un papel muy importante en tu memoria.

Memoria verbal y memoria visual

Estos son los dos principales aspectos de la memorización deliberada. Digo, deliberada, porque todos tenemos también una memoria involuntaria cuando, por ejemplo, un aroma determinado nos transporta repentinamente a un tiempo muy específico de nuestro pasado.

Aunque todos nosotros utilizamos ambas memorias, verbal y visual, hasta cierto grado, la mayoría de nosotros nos inclinamos más a una que a otra. Si llegas a un supermercado y te das cuenta de que te has dejado en casa la lista de la compra, ¿recuerdas lo allí escrito por las palabras (verbal) o se te representan los objetos que querías comprar (visual)?

Los niños que aún son muy pequeños para poder hablar o comprender el lenguaje, es evidente que tienen una memoria únicamente visual. Un niño recuerda el color de un objeto, aunque todavía no sepa cuál es la palabra para designar ese color.

La memoria visual es una actividad del cerebro derecho, mientras que la memoria verbal es del izquierdo. Ninguna de las dos es mejor o peor, puesto que ya hemos dicho que el ideal es ser lo más equilibrados posible. Por lo que deberías tratar de desarrollar aquel aspecto que te es menos natural.

Ve leyendo la siguiente lista de palabras y pon una señal, según el método que tienes de recordarlas, a saber: por medio de una comprensión lógica o por la creación de una imagen mental.

Palabra	*Verbal*	*Visual*
limón		
mesa		
jardín		
automóvil		
gato		
almohada		
mar		
libro		
sopa		
pastel		
madre		
montaña		

Si has puesto el mismo número de señales en ambas columnas, quiere decir que tienes razonablemente equilibrados ambos lados del cerebro. Si hay un decidido énfasis por un lado o por el otro, trata de fortalecer el aspecto más débil.

Para mejorar tu memoria visual, practica el crear imágenes apropiadas en tu mente. Imagina que eres un testigo de la policía, y trata de describir detalladamente la escena. Para mejorar tu memoria verbal, piensa que eres un periodista y redacta una descripción lógica del asunto.

Aumentar tu interés y motivación

Para mejorar tu memoria, tienes que hallar la manera de poner más interés en aquello que deseas recordar después. Sean cuales sean tus razones para aprender y recordar, tienes que motivar tu interés, sea que estés en un cursillo, que tengas que pasar un examen, que quieras recordar los cumpleaños de los miembros de tu familia o los datos con los que impresionar a tu jefe o a tus colegas.

Concéntrate, no sólo en tus objetivos inmediatos sino también en los que son a largo plazo. ¿Por qué quieres estudiar una materia determinada? ¿Cuál va a ser el resultado de todo ello? Cuanto seas más consciente de las razones por las que haces algo, tanto más fácil será para ti el mantener un nivel razonable de aplicación y alcanzar un mayor éxito.

Para poder recordar, hay que *comprometerse.* Si hay dos discípulos que estudian italiano en una academia nocturna, el que va a recordar mejor lo aprendido es el que tiene ya planeado ir a Italia las próximas vacaciones.

Hay un adolescente tenido por 'corto', porque no acaba de aprender lo que le enseñan en el colegio. Lo más probable es que ese mismo adolescente no tenga dificultad alguna en recordar la letra de las canciones de su ídolo de música pop. Hay otro, forofo por el fútbol, que es incapaz de recordar datos o fechas históricas, pero te dirá exactamente los nombres de los futbolistas y el número de goles que han metido en toda la temporada.

Todos estos son ejemplos de lo que puede el interés natural. Lo que tienes que hacer es interesarte, también tú, por lo que tienes que aprender. Y una vez que hayas hallado tu motivación no dejes de recordártela y de hacerte consciente de lo mucho que te interesa.

Obtener información y comprenderla

Para retener algo, únicamente en tu memoria a corto plazo, es suficiente aprendértelo de coro, sin preocuparte del significado de las palabras que repites. Pero si quieres trasladar cualquier información a la memoria a largo plazo, lo primero que tienes que hacer es comprender bien esa información.

El descuido o falta de comprensión puede causar muchos problemas. Y no se trata de simples errores almacenados. Puesto que todo lo que aprendas en el futuro quedará relacionado con lo que aprendes ahora, este error se combinará muchas veces, según vaya aumentando tu depósito de información.

Tienes que hallarle sentido a lo que quieres recordar. Es mucho más fácil, por ejemplo, aprender una lista de palabras como TREN, GATO, CASA, etc., que tratar de memorizar series de sílabas sin sentido como PLOS, RIMP, y FLUN. Como las primeras palabras tienen un sentido, automáticamente forman una imagen en la mente, en cuanto las lees. Pero no hay manera de relacionar con algo las palabras del segundo grupo.

Al conectar la nueva información con lo ya almacenado, aumentas el tamaño del archivo dentro del archivador de tu memoria a largo plazo. Al revés de lo que ocurre con los ficheros de tarjetas o papeles, estos especiales archivadores tienen una capacidad ilimitada y pueden absorber toda la información que les quieras echar. En realidad se requiere mucho menos esfuerzo para incluir nueva información en un archivo ya existente que para abrir uno completamente nuevo. Fíjate en el nuevo dato de información y mira a ver cómo se relaciona con lo que ya antes conoces. Si te has familiarizado con algún período histórico determinado, todo dato que se añada a este conocimiento encajará perfectamente. Resultaría mucho más difícil encontrar un hueco especial para ese dato si tienes pocos conocimientos acerca de la época en cuestión.

Para tener seguridad de que recordarás algo, no sólo tienes que comprenderlo, sino asegurarte, en primer lugar de que *realmente* lo sabes. Si te piden hoy que describas (sin mirar) lo que está escrito en la etiqueta de tu marca favorita de mermelada o café, tal vez no puedas hacerlo. Y no es porque no lo hayas visto o no hayas manejado muchas veces estos envases, sino porque no te has preocupado por aprender lo que está escrito en la etiqueta. Este ejemplo quizá te sirva para convencerte de que el grabar algo en la memoria implica toda una serie de actos deliberados por tu parte.

Reforzar

Una vez que hayas comprendido totalmente aquello que quieres memorizar, necesitas reforzar esta comprensión.

- Puedes hacerlo de la misma manera que haces con tus apuntes: tomando notas, subrayando, empleando rotuladores de colores luminosos, etc.
- Puedes crear una serie de mapas de ideas, de forma que tu nuevo conocimiento se inserte en un orden lógico
- Puedes hacer una lista de palabras clave relacionadas con el tema que estás estudiando
- Y si el tema que estás tratando permite la creación de imágenes visuales, podrías hacerlas surgir. Todas estas técnicas resultarán ser muy valiosas en el momento en que, en una fecha posterior, te propongas recobrar la información que yace en los depósitos de tu memoria

Y, a propósito, ten en cuenta que recordarás más fácilmente aquello que hayas estado estudiando al comienzo y al fin de tus períodos de trabajo, además de aquello que te haya impresionado de una manera especial. Todo lo que no sea especialmente llamativo, tendrás que convertirlo en llamativo a fuerza de rotuladores colorados, contextos llamativos o presentaciones extravagantes, cuando llegue el caso de suscitar imágenes visuales.

Repaso y ensayo

Además de haber comprendido bien la información y de haberla resaltado por medio de notas, diagramas e imágenes mentales, es esencial repasar el material varias veces, para poder fijarlo permanentemente en tu memoria a largo plazo. Los intervalos entre repaso y repaso hay que ir alargándolos. Los intervalos ideales serían estos:

Primer repaso: poco después del período inicial de aprendizaje (quizá al cabo de un descanso de cinco o diez minutos).
Segundo repaso: el día siguiente
Tercer repaso: una semana después
Cuarto repaso: un mes más tarde
Quinto repaso: tres meses más tarde

Si sigues este esquema, verás que, cuando se acerque el día del examen, te bastará con una cuidadosa lectura de tus notas para recordar todos los datos.

Cuando repasas o ensayas lo que has estado estudiando, te convendrá seleccionar la información que prefieras. No se trata de que recuerdes cada palabra; basta con que ensayes los datos clave. Una vez fijados éstos en tu mente, serás muy capaz de adornarlos con un lenguaje elocuente.

El repaso repetido de una materia no es, únicamente, un método eficaz para transferir información desde la memoria a corto plazo a la memoria a largo plazo; consigue también que el aprendizaje ulterior sea más fácil, por haber ampliado el conocimiento fundamental en el que encajarán más fácilmente los datos adicionales.

Recordar

Recordar es la habilidad de recabar la información que has almacenado en el archivador de tu memoria a largo plazo. Como ocurre con los archivadores de oficina que contienen documentos de papel, cuanto más correcto sea el sistema de archivado, tanto más fácil será el encontrar lo que buscas.

Hay dos clases de recuerdos: los deliberados y los involuntarios. El recuerdo involuntario se produce cuando reconoces instantáneamente a un viejo amigo que te encuentras por la calle o cuando contemplas una película que ya has visto antes y sabes cuál va a ser su final. El recuerdo deliberado se da cuando haces un esfuerzo para recordar algo, por ejemplo, en un examen. Veamos:

1. Se trata, por ejemplo, de un cuadro o un adorno de tu propia casa; algo que ves todos los días. Tú sabes que está allí, y lo reconoces cada vez que lo ves. Este es un recuerdo involuntario. Un recuerdo deliberado sería que te pusieras a dibujar ese objeto o a describirlo en todos sus detalles. Esto último, por supuesto, es más difícil.

2. Si tienes mucha costumbre de leer, no tendrás dificultad en reconocer, incluso las palabras menos usadas: este es un recuerdo involuntario. Pero, ¿te sería tan fácil el deletrear algunas palabras largas y difíciles, sin tenerlas a la vista?

Estos ejemplos demuestran que el recuerdo deliberado de aquello que ha exigido cierta concentración de tu parte al ser grabado, resulte más difícil que el recuerdo espontáneo.

Algunos piensan que el recuerdo deliberado es difícil, y se sienten tentados a abandonar la empresa, diciendo: 'no puedo recordarlo'. Sin embargo, a veces basta una pequeña pista para que se nos haga presente la información requerida.

Suponte, por ejemplo, que te piden que digas los nombres de los cuatro satélites mayores de Júpiter. Tú los sabías, porque los aprendiste cuando eras joven, pero ahora no logras recordarlos. Quizá los recuerdes si te damos las iniciales:

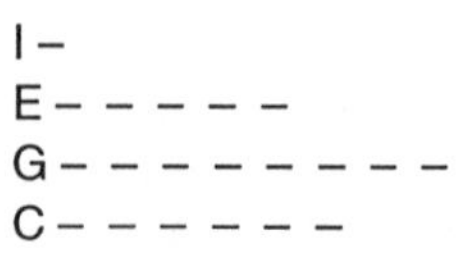

Si no has dado todavía con ellos, tal vez puedas identificarlos entre estos doce nombres:

Fobos	Deimos	Ganimedes
Itis	Europa	Eos
Io	Titán	Hércules
Casandra	Calixto	Gorgona

De la misma manera, si le preguntan a alguien: ¿Quién escribió *La vida es sueño?*, puede que sea capaz de recordarlo o que no lo sea. Pero, si es que alguna vez supo quién fue el autor, y ahora le damos a escoger entre: (1. Lope de Vega; 2. Quevedo; 3. Calderón de la Barca; 4. Tirso de Molina), quizá le 'toquemos una campanilla' o, dicho de otra manera, ' pongamos en marcha su capacidad de recuerdo involuntario'.

Para poder tener, más tarde, una buena capacidad de recordar deliberadamente informaciones importantes, hay que almacenarlas después de un buen proceso de repaso y revisión. Sin estas repetidas revisiones, incluso los datos almacenados en la memoria a largo plazo, pueden quedarse relegados en el fondo del archivo y resultar más difíciles de recuperar. Esta sería la mala noticia. La buena noticia sería que, toda información bien aprendida (no importa hace cuánto tiempo), puede 're-aprenderse' con mucho menos esfuerzo.

Suponte, por ejemplo, que aprendiste a hablar francés hace ya muchos años y que no lo has practicado durante bastante tiempo. Si alguien te pide ahora que hables francés, te va a ser un tanto difícil. Pero si tienes que pasar unos pocos días en Francia, experimentarás que te vuelven tus antiguos conocimientos del francés.

Facilidades para memorizar

Puesto que todos somos diferentes, los métodos que sirven para uno, no sirven de la misma manera para otro. Sin embargo, los métodos y pistas que mostramos a continuación pueden resultar efectivos cuando se trata de transferir información desde la memoria a corto plazo a la memoria a largo plazo. Pruébalos por ti mismo y ve cuáles son los más útiles para ti.

- Vamos a usar la analogía de la pintura que has aplicado a un marco de ventana. Primero aplicas una imprimación, después una capa de base y encima dos o tres manos de pintura, según el acabado que deseas. Para reparar los defectos después de algún tiempo, te bastará con añadir una sencilla mano de pintura. Lo mismo ocurre con el recuerdo.
- Haz frecuentes interrupciones en tus ratos de estudio. Ya sabes que recordamos mejor lo que hemos aprendido al comienzo o al final de nuestros ratos de estudio. Estudia a ratos cortos, y recordarás con menos esfuerzo.
- Las secuencias son muy útiles en los estadios primarios de nuestro aprendizaje. De niños no aprendimos los números diciendo: '1,4,6,2, 5,3...', ni los días de la semana, diciendo: 'Miércoles, Lunes, Sábado...'. Aprendimos todo esto en su correcto orden. Y una vez que nos son familiares, no necesitamos cantar toda la lista para saber que el Jueves viene detrás del Miércoles, o que el 4 está entre el 3 y el 5. Trata de ver siempre un esquema lógico en los hechos que has de aprender. Si estudias historia, lógicamente, hallarás un esquema que encadena los hechos; una obra de teatro y una novela tienen también su propia estructura; un experimento químico seguirá una progresión lógica. Si estudias en un libro o escuchando a un profesor, ambos te proporcionarán un esquema lógico en su enseñanza. El aprender –y el recordarlo después– te será mucho más fácil, si adviertes los esquemas de fondo. Si no te convence el esquema que se te da, trata de crear un esquema propio. Si tomas apuntes, hazlo de forma que los datos se encadenen naturalmente unos con otros. Te serán mucho más fáciles de aprender y recordar, y más comprensibles para aquellos a quienes los transmitas.
- Agrupa y junta los datos de información que luego quieras recordar. Es menos difícil recordar un grupo que recordar palabras, datos o hechos aislados. Si no estás acostumbrado a agrupar datos, puedes intentar los ejercicios siguientes:

  Echa un vistazo a la habitación, y agrupa los objetos que ves en ella. Puedes hacerlo en la forma en que ya están (la mesa está junto a la silla y enfrente de la ventana); puedes hacerlo por colores (las cortinas, las flores del búcaro y los almohadones son todos rojos); también puedes hacerlo por el tamaño (agrupando los objetos grandes, los medianos y los pequeños). Y puedes hallar otros tipos de agrupaciones.

A continuación va una lista de palabras. ¿Cómo las agruparías?

manzana	libro
árbol de Navidad	narciso
perro	moneda
paraguas	avión
anciana	vaquero

Por supuesto que no hay una respuesta correcta o incorrecta a esta pregunta. Puedes agrupar las palabras de la forma que mejor te parezca. Puedes optar por una línea obvia y decir que algunas son personas, otros vegetales, etc. O puedes usar tu imaginación e inventar una pequeña escena: "Una anciana con paraguas que saca a pasear el perro en un campo de narcisos, y un vaquero que ofrece una moneda para comprar una manzana y un libro antes de tomar el avión".

- Suele ayudar, tanto al aprendizaje como al recuerdo, el pronunciar los contenidos en voz alta. Figúrate que se lo estás explicando con todo detalle a alguien que no sabe nada del asunto. Es una excelente forma de llenar las lagunas de tu conocimiento.
- Si fuere posible, busca un amigo o un familiar que te tome la lección. El poder explicárselo a alguien con tus propias palabras, hará que compruebes hasta dónde te has familiarizado con lo que has estudiado.
- Los hechos aislados son difíciles de recordar. Intenta, siempre, combinar la nueva información con algo ya conocido.
- Dirige tu propio proceso de archivado. *Escoge* el fichero en el que vas a insertar tu nueva pieza de información. Es verdad que no es posible saber siempre qué es lo que te va a ser importante en el futuro pero, al menos, podrás

conjeturarlo. Si te dedicas a un estudio determinado, sería bueno que toda información o dato que no sea inmediatamente relevante lo relegues a un lugar secundario.

- Utiliza la tecnología. Graba los datos importantes en una casete y vuelve a escucharlos una y otra vez en cualquier momento: cuando limpias el coche, cuando preparas la comida, etc. Es una manera muy efectiva de grabar los conocimientos en tu memoria a largo plazo, y funciona muy bien en temas como: vocabulario de una lengua extranjera, listas de datos, etc. Las grabadoras de bolsillo con auriculares sirven para algo más que para distraerte con tu música favorita.
- Cuanto más vulgar o aburrida sea la presentación de los datos, tanto más difícil te será el recordarlos. En cambio, si vienen en forma llamativa, divertida o peculiar, los recordarás con más facilidad. Cuanto más ridículas sean las imágenes que hayas creado en tu mente, tanto más fácilmente podrás recobrarlas. Esta es la razón por la que se usan los rotuladores luminosos con el fin de resaltar lo que es más importante de todo el texto.
- Si gozas de una buena memoria visual o si tratas de desarrollarla, adorna tus notas con formas especiales, con titulares y subtitulares, como los describimos en el Capítulo 8º. Usa mapas de ideas. Comienza poniendo el tema central o el título en medio del papel y rodeado de un círculo. Siguiendo una progresión lógica de pensamiento, podrás ir completándolo con toda clase de detalles.
- Todos (como no tengamos alguna lesión cerebral) podemos mejorar nuestra memoria, con tal de que pongamos tiempo y esfuerzo. Hay 'trucos de memoria', como las palabras-clave (que se detallan en el Capítulo 5º). Aunque no formen parte del proceso de aprendizaje, no hay que descartarlas, pues sirven de ejercicio para ampliar la memoria.
- Las mnemotecnias pueden ser de mucha utilidad. Para recordar los colores del arco iris, quizá sirva ésta: 'Rona, ama veraz, años vio'. Para recordar la colocación de las notas en clave de sol, tanto las que están en raya, como las que están en espacio entre rayas:

MI, SOL, SI, RE, FA
Me sale siempre raya fácil,
FA, LA, DO, MI
Fuera las de-más.

Para recordar, por su orden a partir del sol, los planetas del sistema solar, podrían servir estos dos versos:

Me ven tierra y mar,
Júpiter sat-ura nep-tón.

Y otras muchas mnemotecnias que tú podrías idear, según tus necesidades y tu caso. Y tanto mejor si las creas tú, porque se te grabarán mejor. No importa que no te salgan palabras o frases que no tengan mucho sentido. A veces es mejor, porque, ya hemos dicho que lo extraño se memoriza con más fuerza.

- Otra gran ayuda para la memoria son: el ritmo y el canto. Recuerda cuántas cosas hemos aprendido de memoria en la escuela primaria, por medio de los ritmos y de las cantinelas cantadas por todo el coro de niños de la clase. Es así como aprendimos, por ejemplo, la tabla de multiplicar que hoy podemos recordar tan fácilmente, después de tantos años. Más tarde, los anunciantes de la radio y la televisión nos han aplicado estos ritmos y cantinelas para que se nos graben sus productos.

4

Ver y observar

Hay una gran diferencia entre lo que vemos (observación *subconsciente*) y lo que observamos *conscientemente.* Cuando ibas por la calle esta mañana, probablemente *viste* los rostros de docenas de personas. ¿De cuántas de ellas te acuerdas ahora de forma que puedas describírnoslas? Tú las viste y ellas te vieron pues, de lo contrario, no habrías podido evitar el tropezar con ellas. Había también árboles y postes de luz. Ya sé que no te has tropezado con ninguno de ellos, porque en tal caso, no estarías ahora leyendo este libro. Esto prueba que los *viste.* Pero no recuerdas cuántos eran ni dónde estaban exactamente.

Pero suponte que una de las mujeres que pasaban entonces por la calle llevaba un vestido de formas y colores extraños; te acordarías de ella. O que de uno de los postes de luz colgaba un cartel con un anuncio que te ha interesado; también te acordarías de ello. ¿Por qué ocurre así? Sencillamente, porque estas dos circunstancias te han llamado la atención suficientemente para *concentrarte* sobre ellas el tiempo suficiente para fijarlas en la memoria. La *observación consciente* brota únicamente de la *concentración.*

Ni qué decir tiene que la observación *subconsciente* es una buena cosa para la vida ordinaria. Sería algo muy molesto que, para no tropezaros con los árboles tuviéramos que concentrarnos seriamente en cada uno de ellos. Otra cosa es cuando uno se pone a adquirir nuevos conocimientos. Entonces, la observación consciente es esencial.

Pongamos algún ejemplo:

Sabes muy bien que los actuales billetes de 5.000 pesetas tienen grabada la cara del rey. Pero, ¿recuerdas lo que está grabado en el reverso de los mismos? Y, sin embargo, los has visto y manejado muchas veces.

Algunos de vosotros os habréis quedado muy satisfechos porque recordabais que, en el reverso aparece la fachada del palacio real. Pero, ¿podrías decirme, sin mirar, qué grabado aparece a la derecha de la fachada del palacio real? Casi seguro que no has podido decirlo.

Sin embargo, no es que te falle la vista. Has visto muchas veces esos billetes, pero no te habías concentrado en los grabados que había en ellos.

Reconociendo, pues, el hecho de que no es posible recordar algo sin antes haberlo observado, el recordarlo posteriormente te será mucho más sencillo si está relacionado con algo que ya conocías. Es mucho más fácil recordar que, en el reverso del billete, aparece el grabado del palacio real, si es que has visto el mismo palacio real una o varias veces en la realidad, en fotografía o en la televisión. Un edificio, poco o nada conocido para ti, no suscitaría relación alguna y se borraría pronto de tu memoria.

Seguimos con que no es lo mismo ver que observar. Nos ocurre a todos cuando leemos cualquier texto, que tendemos a ver lo que esperamos ver y a leer lo que esperábamos leer. Por eso resulta difícil hallar las erratas de imprenta en las pruebas de cualquier libro antes de su publicación, sobre todo, cuando cita frases o expresiones que resultan muy familares para nuestros oídos.

A propósito; ¿has observado que, en la frase anterior, hemos escrito familares, en lugar de familiares? Lo hemos hecho a propósito. Es muy fácil que no te hayas dado cuenta de esa errata, porque veías justamente lo que esperabas ver.

Pongamos otro ejemplo: Elige una habitación cualquiera de tu casa e imagínate que te han robado todos los objetos que había en ella y tienes que llenar un formulario con la lista de los mismos, para presentarlo a la entidad aseguradora. Toma tiempo, y (sin entrar en la habitación a mirar) siéntate a escribir *todos y cada uno* de los objetos de esa habitación. Cuando vayas a comprobar lo que has escrito, te sorprenderá la de objetos que se te han pasado por alto. Y tú sabías muy bien que estaban allí; quizá los pusiste tú misma. Y los has estado viendo días y meses y años.

Si te hubieran hecho una pregunta menos compleja (p. e. ¿Qué hay sobre la mesita que está junto a la ventana? ¿Cuántos cojines hay sobre el sofá?), es más probable que hubieras respondido correctamente. En el caso anterior no se trata, pues, de que fallara tu poder de observación; lo que te falló es tu capacidad de recordar lo que habías observado. Y ésta es la que tú puedes mejorar con la práctica.

- Piensa en alguna persona que conoces muy bien. ¿Cómo la describirías, de forma que se diferenciara de cualquier otra persona, y pudiera ser identificada por alguien que nunca la hubiera conocido? Esto es mucho más difícil de lo que te supones. Concha puede que sea bajita, de pelo castaño y ojos azules, pero hay millares de otras que son así. Para poder describirla con más singularidad, tendrás que observarla mejor la próxima vez que la veas.

Cualquiera que haya asistido a un juicio en el que los testigos intentan explicar lo que pasó en la escena del accidente, se dará cuenta de que hay tantas descripciones diferentes del accidente cuantos testigos del mismo, aunque todos ellos estén tratando de ser sinceros. No sólo variará la descripción de los personajes, sino también la secuencia de la acción, la hora exacta, etc. Ninguno de estos testigos sabía de antemano que iba a ocurrir un accidente, por lo que ninguno estaba preparado para concentrarse en la escena. Cuando ocurrió, lo que vieron quedó asociado en sus mentes con lo que su propia lógica les decía que tenía que haber ocurrido; su observación quedó ligada al substrato de su pensamiento; ambos se combinaron para formar una memoria un tanto errónea.

- Hay un juego de niños en el que se ponen una docena de objetos en una bandeja, para que cada uno de los niños los miren durante un rato. Luego se cubre la bandeja con un paño, y los niños tienen que escribir, por separado, todos los objetos que puedan recordar. Es un juego que también los mayores podéis practicar como ejercicio para ampliar vuestra mente. El truco está en formar nexos o relaciones de unos objetos con otros, más que en tratar de hacer una simple lista mental de los mismos. Para progresar en este ejercicio, puedes ir añadiendo más objetos a la bandeja.

- Si estás en un lugar público o en un transporte público durante un largo rato, fíjate en alguno de los presentes y trata de describirlo a él (o a ella) y a sus acciones, como si tuvieras que denunciarlo a la policía. Fíjate en la cara, la postura, el atuendo, los movimientos, en todo lo que pudiera ser útil para una identificación. (Procura, naturalmente, hacerlo sin que el 'sospechoso' se dé cuenta, ¡no vayas a crearte dificultades!)

La observación exige que pongas interés en el objeto. Si no sientes interés no te podrás concentrar. Si no te concentras no podrás observar. Y sin observación no habrá recuerdo. Si avanzas pisando cautelosamente y tratando de mantener el equilibrio sobre un piso helado, no te fijas en la gente que pasa a tu lado. Si estás muy enamorada dedicando toda tu atención a una persona, puede que ni veas ni oigas lo que está ocurriendo junto a ti.

También sucede al revés. Puede que no te hayan interesado mucho los coches pero, en cuanto has comprado uno de un modelo determinado, entonces empiezas a ver coches de ese mismo modelo por todas partes. El interés que has puesto al escoger tu vehículo, te ha hecho observar sus formas peculiares que antes te pasaban desapercibidas. Ahora esas mismas formas las reconoces instantáneamente incluso en un coche que pase con toda rapidez.

La observación está relacionada no sólo con la vista sino también con otros sentidos. Hay gente que puede quedar tan absorbida por la lectura, que es capaz de comer lo que le pongan delante sin darse cuenta de su sabor ni poder decir, más tarde, lo que ha comido mientras leía.

Muchas veces, también nosotros dejamos de darnos cuenta de lo que ocurre en torno nuestro. Podemos ver y oír el tráfico que transcurre junto a nuestra ventana, pero no somos conscientes de que lo hemos visto y lo hemos oído. Es lo que nos ocurre con el papel que empapela nuestra pared. ¿Cuándo fue la última vez que *miraste* el papel de la pared? Entra en cualquier fábrica donde haya un constante zumbido de maquinaria, y te preguntarás cómo pueden aguantarlo los que trabajan allí dentro. La respuesta es que ellos han vivido tanto tiempo con ese sonido, que ya no son conscientes del mismo.

El cerebro humano es capaz de pensar sólo una cosa cada vez. Si tenemos que observar, para después recordar, necesitamos concentrarnos en lo que estamos mirando. De otra manera no se nos grabará suficientemente. Ya sé que hay algunos que te dirán que pueden leer un libro y oír la radio al mismo tiempo. Lo que sucede, en realidad, es que su atención permanece oscilando de un lado al otro. Si la lectura y la música son ambas ligeras, quizá se queden con lo esencial de ambas. Pero si necesitas recordar después lo que estás leyendo, tienes que concentrarte en ello, excluyendo todo lo demás. Puede que no lo impida algo de música de fondo, pero no podrás memorizar efectivamente si, tanto el sonido como la lectura están atrayendo tu atención.

Hay varios factores importantes para aumentar tu poder de concentración:

1. Si hay algo que te urge hacer, hazlo antes de ponerte a estudiar. De lo contrario no hará más que distraer tu atención constantemente.

2. Aprende a relajarte. Cuanto más tensión tengas, te será más difícil concentrarte. Toma el hábito de practicar la relajación antes de ponerte a estudiar.

3. Práctica. Ninguna habilidad se consigue sin práctica. En este caso, practicar poco a poco y a menudo, e ir aumentando. Comenzar con un pasaje corto o un texto sencillo. Es mejor proponerse una meta sencilla y conseguirla, que tratar de comerse el mundo y fracasar con todo el equipo.

4. Poner interés en el tema. A veces es fácil, porque el tema te interesa. Pero es frecuente que tengamos que estudiar algo que nos aburre, pero nos es necesario para aprobar un examen. Si es éste tu caso, trata de que te interese algo: la nota misma, el puesto que vas a conseguir con ello, el dinero que puedes ganar, etc.

5. Trata siempre de relacionar los nuevos datos o ideas con lo que ya sabes. El aprender palabras 'como los loros' te ayudará a pasar el examen de mañana, pero los conocimientos no se te grabarán y el esfuerzo no te habrá servido para mucho.

6. Las imágenes se recuerdan mucho mejor que las palabras. Fíjate cómo nos bombardea la publicidad con imágenes para que sus productos se fijen firmemente en nuestras mentes. Si eres capaz de transformar lo que aprendes en imágenes mentales, se te grabará mejor y lo recordarás mejor. Puedes practicar esto fácilmente. Si lees en el periódico una noticia que no venga ilustrada, inventa para ella una ilustración mental.

5

El valor de la visualización

Por de pronto, estás en posesión de una de las mayores ayudas para el aprendizaje: tu imaginación. Tu imaginación y la forma en que la uses pueden ser de valor inestimable cuando se trate de estudiar, memorizar y prepararte para determinadas situaciones (ya se trate de un examen o del momento de presentarte ante un auditorio para pronunciar una conferencia o un discurso).

¿En qué consiste la visualización?

La visualización es la capacidad de dominar el poder de tu imaginación y crear en tu mente imágenes que sean apropiadas para la tarea que tienes que realizar.

Quizá pienses que tú eres una de esas personas que no son capaces de crear imágenes dentro de la cabeza, cosa que puede hacer cualquiera, excepto los que han tenido la desgracia de ser ciegos de nacimiento porque, por lo mismo, carecen de puntos de referencia. Cualquiera que tenga –o haya tenido– la facultad de ver, es capaz de crear imágenes en su propia imaginación. Todos hemos nacido con la capacidad de visualizar claramente pero, a veces, y debido a una formación y educación excesivamente inclinada hacia el lado izquierdo de nuestro cerebro, esta habilidad disminuye por falta de uso. Pero, aunque hayas perdido, temporalmente, esta valiosa herramienta, puedes volver a recobrarla en un espacio de tiempo comparativamente corto y, una vez recobrada, usarla como ayuda de cualquier proceso de aprendizaje, ya sea que te tengas que dedicar totalmente al estudio para preparar exámenes, ya sea que trates de ponerte al día en los nuevos sistemas que se han ido introduciendo mientras tú estabas ausente de tu puesto ordinario de trabajo.

Los sistemas que voy a describirte, no sólo te ayudarán a aumentar tu habilidad de visualizar, sino que también te ayudarán a desarrollar la habilidad de usar tu cerebro derecho. Ya hemos dicho antes que un buen equilibrio entre el cerebro izquierdo y el derecho es esencial si queremos dedicarnos al aprendizaje.

Mejorar tu habilidad para visualizar

Imagina que eres una de esas personas cuya imaginación visual ha ido cayendo en desuso. ¿Qué puedes hacer para fortalecerla? No es tan difícil como podrías pensar; basta con que sigas la secuencia de los simples ejercicios que detallamos a continuación para que compruebes que puedes crear imágenes mentales vivas y excitantes.

1. Toma cualquier objeto doméstico: por ejemplo, una jarra, una tetera, un vaso. Colócalo sobre la mesa y siéntate frente al mismo. Mira bien el objeto que has escogido; no basta con que, simplemente, pienses: 'esto es una vasija' o 'esto es una vasija grande'. Fíjate en su forma, su color, la forma cómo el asa está unida al cuerpo de la misma, si es blanca o de color, si está grabada o no. Una vez que creas que conoces todos los detalles de la vasija, cierra los ojos y trata de formar una imagen de la misma en tu mente. (Al principio te parecerá difícil, especialmente, si no has tenido, durante mucho tiempo, la costumbre de utilizar tu imaginación).

Esto no es más que un ejercicio para ampliar tu mente; no es un test. No se trata de que 'aciertes' o 'falles'. Por lo mismo, si encuentras dificultad en pintar la jarra en tu mente, abre los ojos y echa otro vistazo a la misma. Haz esto cuantas veces sea necesario para que seas capaz de cerrar los ojos y dibujar, cuando quieras, la jarra en tu mente.

Practica este ejercicio todos los días, hasta ser capaz de realizarlo sin ninguna dificultad.

2. Siéntate tranquilamente en un lugar que tú hayas escogido: tal vez un parque, un jardín, una biblioteca. Mira en torno a todas las cosas normales que hay por allí. Mira el lugar mismo y cada una de las cosas que ves desde tu asiento. Toma nota de los diversos tamaños, de las posiciones de las cosas y de los efectos de la luz y de la sombra. Mira las superficies y los colores. Piensa también en el ambiente. ¿Cómo te *sientes* en este lugar? Cuando hayas hecho todo esto, cierra los ojos y trata de reconstruir todo el panorama en tu imaginación, trata de visualizarlo, más que convencerte que ya sabes todo lo que hay allí. Si hallas dificultad, simplemente, abre los ojos por un momento para refrescar tu memoria.

Este ejercicio hay que practicarlo diariamente, hasta que se te haga fácil.

3. Intenta ahora un proceso similar, pero sin concederte la oportunidad de mirar antes lo que vas a visualizar. Trata de dibujarte el panorama que sueles ver desde una ventana de tu casa. Te sorprenderá lo difícil que puede ser este ejercicio, aunque se trate de un panorama que estás viendo todos los días. Emplea un buen rato en este ejercicio antes de ir a comprobar hasta qué punto has acertado. Repítelo todos los días (usando, quizá, varias ventanas y vistas), hasta que seas capaz de realizarlo fácilmente.

4. El ejercicio final consiste en visualizar algo que no vas a poder comprobarlo: una imagen de tu pasado. Escoge cualquier momento que prefieras de tu pasado, ya sea que haya ocurrido la semana pasada o hace veinte años. Comienza con el dato más saliente en tu recuerdo, y deja que el resto se vaya desvelando suavemente en tu imaginación. Aunque no puedas comprobar si lo has recordado correctamente o no, tu capacidad de visualización se habrá desarrollado, para esta fecha, suficientemente como para crear imágenes vivas en tu mente.

Los usos de la visualización

La visualización creativa tiene muchos usos beneficiosos, que van desde mejorar tu salud hasta desarrollar la autoconciencia de tus sueños, como lo he explicado ampliamente en mi libro *Elementos de visualización.* Además de la finalidad de ayudar a aprender, hay otros muchos campos en los que este empleo de la imaginación puede resultar muy valioso. Entre otros, están:

- Ayudar a la relajación
- Transferir información a tu memoria a largo plazo
- Ayudar al recuerdo
- Dominar los nervios en un examen
- Recordar nombres y caras
- Recordar listas y objetos sin orden

Ayudar a la relajación

Te preguntarás por qué he puesto la relajación a la cabeza de los usos de la visualización. No es que se trate de un primer paso esencial, pero, en muchos casos, es un primer paso imprescindible. Cuanto más relajación experimentes al ponerte a aprender, tanto más fácil te será transferir información desde tu memoria a corto a tu memoria a largo plazo. Cuanto más relajado/a estés, tanto mejor dominarás esos nervios de antes del examen o de la conferencia. Además, como ya hemos dicho, cuanto más relajado/a estés, tanto más oxígeno fluirá a tu cerebro, para que permanezcas alerta y para que puedas pensar rápida y eficientemente.

La relajación es un proceso deliberado y no, como algunos piensan, sentarse frente a la televisión, venga a no hacer nada. Si te comprometes a emplear diez minutos cada día practicando la verdadera relajación, advertirás un cambio real en ti al cabo de un tiempo, comparativamente, corto. Te encontrarás con menos tensión y ansiedad, y experimentarás un mayor sentimiento de bienestar físico. ¡Todo esto por sólo diez minutos de tu tiempo cada día!

El ejercicio respiratorio que explicamos unas líneas más adelante, es un ejercicio de relajación, pero no el único. También necesitas relajar tus músculos y tu mente. Algunos expertos te sugerirán que 'pongas tu mente en blanco', pero no serás capaz de hacerlo sin haber practicado una de las formas avanzadas de yoga o meditación. La frustración que te produciría el no lograrlo, daría por resultado más tensión en lugar de menos. Y aquí es donde entra la visualización. Si no puedes poner tu mente en blanco, tampoco quieres que se llene de las pequeñeces y preocupaciones de cada día, que vengan a juntarse con los problemas que ya tienes con tus propios estudios. La solución es ocupar tu mente con alguna otra cosa, para que no haya lugar donde puedan anidar esas otras ansiedades.

Hay muchas maneras de inducir un estado de verdadera relajación. Cualquier método que escojas, no cambian los componentes básicos. El que te proponemos a continuación es un método para proceder paso a paso. Una vez que lo hayas practicado durante algún tiempo, está en tu mano el introducir en el proceso algunos pequeños cambios que se adapten a tus preferencias personales. El método es efectivo y te supondrá un buen punto de partida.

1. Escoge una hora en la que nadie te va a molestar. Descuelga el teléfono, si no hay niguna otra persona que pueda atenderlo.

2. Siéntate o échate cómodamente. Puedes acostarte sobre el suelo, sobre la cama o sentarte cómodamente. En este último caso, conviene que puedas apoyar tu cuello y tu cabeza.

3. Que tu ropa esté floja y no te apriete en ningún sitio. Cierra los ojos y comienza a respirar despacio y con regularidad. Haz esto durante unos pocos minutos.

4. Para que un músculo quede relajado, primero hay que tensarlo. De modo que, comenzando por los pies y siguiendo hacia arriba a lo largo del cuerpo, tensa y relaja, por turno, cada grupo de músculos. Pon especial atención en los de la cabeza, mandíbula, cuello y hombros, puesto que es ahí donde, normalmente, se experimenta la mayor tensión.

5. Empieza otra vez desde los pies y a lo largo de cada grupo de músculos, usando tu imaginación y haciéndote consciente de que pesan cada vez más.

6. Una vez completadas estas secuencias, es hora de usar tus poderes de visualización. En lugar de tratar de vaciar tu mente, imagínate un escenario bello para ti: una verde pradera con un lago, una montaña nevada, un paisaje marino tropical. Cada cual ha de escoger el escenario que más le agrade. Lo que visualizas puede ser algo real o algo imaginario. Lo importante es que te parezca bello y pacífico.

7. Quédate durante varios minutos en el bello lugar que hayas elegido y disfruta de la experiencia. Contémplalo desde todos los ángulos y procura conocerlo bien. Trata de penetrarte del ambiente del lugar que has imaginado. ¿Cómo te *sientes*? Cuando adviertas cómo te sientes, abre los ojos y quédate tranquilamente por unos momentos.

Transferir información a tu memoria a largo plazo

La visualización te puede ayudar de muchas maneras para transferir información desde tu memoria a corto a tu memoria a largo plazo. Quizá te vaya un método mejor que otro, pero dale a cada uno de ellos una oportunidad practicándolo durante cierto período de tiempo. Si pretendes ser una persona con el cerebro izquierdo y el derecho bien equilibrados, serán precisamente los métodos que practiques con menos naturalidad, los que deberías practicar más a menudo

En los medios empresariales se suelen traer a colación estadísticas que muestran que las palabras, oídas o escritas, producen sólo un 20% de toda la información recibida por sus destinatarios. El otro 80% procede de las ilustraciones: ya de las reales (diagramas, gráficos, diapositivas, etc.), ya de las imaginadas (en la imaginación del receptor). Procura, pues, trabajar en tu propia capacidad de visualización creativa, probando las técnicas que te damos a continuación:

1. Traslada lo que has oído y lo que has leído a 'vídeos mentales' y contempla cómo transcurren dentro de tu mente. Por mucho que te haya gustado un libro, es mucho más fácil recordar un relato si lo has visto en el cine o en el teatro. Cualquiera, pues, que sea el tema que estás estudiando, toma tiempo para visualizar lo que has aprendido.

Suponte, por ejemplo, que estás estudiando una serie de estadísticas sobre el negocio en el que estás (o esperas estar). Lo normal suele ser sentarse y aprenderse los datos y cifras de memoria. Aparte de que ésta es una tarea pesada y de que vas a sentir la tentación de abandonar el intento, aunque hayas sido capaz de aprenderte toda la lista de memoria, puedes quedar desconcertado cuando te pregunten acerca de una estadística en particular.

Imagina ahora que tomas las mismas estadísticas y, después de practicar unos momentos de relajación para llegar a tu subconsciente, conviertes esas estadísticas en imágenes apropiadas. Puedes ayudar a este mismo proceso haciéndote algunas preguntas como éstas:

- ¿Qué me dicen estas estadísticas acerca del negocio que estoy estudiando?
- ¿Presentan una prospectiva de futuro optimista o pesimista?
- ¿Cuál va a ser su incidencia en la actitud laboral de los empleados en este negocio?
- ¿Cuál va a ser el impulso positivo de las mismas en la vida familiar de los empleados?
- ¿Qué nuevos sistemas o ideas se pueden introducir en el negocio, y cuáles se presume que serán sus efectos?
- ¿Qué papel puedo yo jugar en esos cambios?

Estoy cierta de que tú mismo te puedes proponer muchas más preguntas. Al responderlas puedes ser capaz de crearte una imagen mental de la empresa en cuestión y de los resultados previstos para la empresa misma y para sus trabajadores. Las estadísticas ya no serán meras cifras y, por lo mismo, serán más fácilmente recordadas.

2. Ten en cuenta que cualquier cosa llamativa o ridícula se recuerda mucho más fácilmente. Usa, pues, tu creatividad para formar imágenes interesantes en tu mente.

Si tienes que estudiar a algún personaje histórico, no importa que no tengas ni la menor idea de cuál era su aspecto o su figura. Invéntale una imagen y haz que te sea familiar. Suponte que tu personaje histórico realizó algún hecho notable el año 1674, y que tienes que recordar esta fecha. ¿Por qué no le pones un reloj de pulsera, de esos que indican la hora y la fecha? Ya sé que esos relojes no existían en 1674, pero si le ves a tu personaje presionando el botón de su reloj para ver la fecha, es mucho más fácil que te acuerdes de la misma. O, quizá, tu personaje tenía un gran calendario en la pared de su habitación donde aparecía la famosa fecha. Usa tu imaginación para desarrollar esta idea y para incorporar a la misma otros datos que te convenga recordar.

Piensa en las muchas escenas que recuerdas sin esforzarte lo más mínimo, y comprobarás que este método funciona. Si no lees la Biblia asiduamente, quizá no recuerdes mucho acerca de Eliseo o Joab; pero sí es más fácil que recuerdes las narraciones de Jonás, de David y Goliat o de Sansón y Dalila. ¿Por qué? Porque, en tu niñez, creaste tus propias imágenes de Jonás sentado, completamente vestido, en el estómago de la ballena, esperando a que el cetáceo abra la boca, para poder escapar. Como también te imaginabas a Dalila cortando los cabellos de Sansón con unas tijeras.

3. Una vez que hayas tomado tus apuntes y determinado las palabras clave de lo que estás aprendiendo, intenta lo siguiente: cierra los ojos y relájate según tu método preferido. Trata de ver, con tu imaginación, esas mismas palabras escritas por una mano gigante e invisible. Esta técnica tiene unos elementos importantes:

- La escritura ha de hacerse despacio, una letra cada vez.
- Cada palabra ha de ser escrita en mayúsculas. Esto hace que se imprima más fuertemente en tu subconsciente.
- Tiene que haber un fuerte contraste entre las palabras y el material sobre el que están escritas: negro sobre papel blanco o tiza blanca sobre un tablero negro.
- No intentes trabajar con demasiadas palabras a la vez. Un máximo de cinco sería lo aconsejable.
- Ahora no estás realizando un test. Si llegas a la tercera palabra y ves que no logras seguir, abre los ojos y mira la palabra siguiente. Si sientes tensión, pensando que esto es un test de capacidad, verás que no puedes retener la información por mucho tiempo.

No continúes con el segundo grupo de palabras clave, hasta que hayas sido capaz de repetir con éxito las del primer grupo, al menos tres veces.

4. Si ya has escrito tus apuntes usando rotuladores luminosos y subrayando los diversos encabezados (ver Capítulo 8º), tu página será como un esquema. Trata de visualizar ese esquema, incluso de relacionarlo con la imagen de algún objeto, y te será mucho más fácil recordar las palabras allí resaltadas.

Ayudar al recuerdo

Si has utilizado la visualización para captar los hechos en el proceso de aprendizaje, verás cómo el proceso de recuerdo resulta mucho menos dificultoso.

Volvamos a nuestro personaje de 1674. Si has sido capaz de crear una imagen del mismo en tu mente y te has familiarizado con la misma, la mera mención de su nombre será suficiente para que recobres esa imagen mental; lo mismo que te ocurre cuando alguien menciona a algún amigo o familiar cercano.

Si has visualizado a la persona en cuestión, seguirán las demás imágenes. Verás su reloj o su calendario con la importante fecha. Y serás capaz de contemplar sus hazañas como en una película que transcurriera por tu mente.

Si, por otra parte, has elegido confiar palabras clave a tu memoria, visualizándolas como si estuvieran escritas en aquel tablero o aquel papel, la mención de cualquiera de aquellas palabras volverá a suscitar, automáticamente, toda la lista.

Todo esto, por supuesto, depende de que hayas comprendido bien la información que contenían, porque de no ser así, tampoco hubieras sido capaz de convertir los datos en imágenes visuales, desde el primer momento.

Dominar los nervios en un examen

Aunque hayas estudiado bien y conozcas la materia, es normal que sientas nerviosismo cuando se acerca la hora del examen. Esta natural preocupación no te va a hacer mucho daño y hasta puede ser beneficiosa, pues la adrenalina extra producida puede ayudarte a discurrir y a tener una buena actuación.

Los problemas pueden surgir, cuando la natural ansiedad da lugar a un verdadero pánico. Hemos hallado estudiantes excelentes que, al presentarse a los exámenes, han hecho muy mal papel, debido al excesivo nerviosismo y a una agitación que les impedía pensar clara y lúcidamente. Se ha dado el caso de estudiantes que han trabajado durante el curso con perfectos resultados y, al llegar el examen, han caído víctimas de un pánico tal que les ha impedido escribir una sola palabra sobre los papeles del examen. Sin llegar a estos extremos, muchos suspenden sus exámenes, más por el nerviosismo y la ansiedad, que por falta de la debida preparación.

Debido a la alta incidencia de una tensión extrema en tiempo de exámenes, muchas instituciones educativas tienen muy en cuenta el aprovechamiento durante el curso, en orden a determinar las calificaciones definitivas. Sin embargo, este seguimiento continuo no podrá eliminar siempre la necesidad de los tests y de los exámenes. Puede que esto no sea del todo malo, pues es la vida misma la que nos va a enfrentar constantemente ante situaciones o momentos en los que nos vamos a encontrar como si estuviéramos ante un examen.

La técnica que voy a explicar ayudará a superar las situaciones de extremo nerviosismo que te impiden dar lo mejor de ti en esas ocasiones. Pero no cometas el error de creer que, con ello, vas a triunfar aunque estudies menos. Nada podrá suplir tu seria preparación académica. Lo que aquí pretendemos es ayudarte a que demuestres lo que ya sabes gracias a tus estudios. Sólo pretendemos ayudarte para que en esos momentos pienses con más tranquilidad y claridad.

Para que funcione bien este método, tienes que comenzarlo unas tres semanas antes del examen, a fin de que tu subconsciente tenga tiempo de realizar un nexo permanente entre el pensamiento del examen y una sensación de serenidad. Dedica, cada día, un tiempo específico para este ejercicio; no serán más que unos quince minutos. Una hora ideal para practicarlo será a la noche, en la cama, justamente antes de dormirte, pues así tu subconsciente trabajará sin distracciones durante toda la noche.

1. Comienza procediendo a través de los estadios primeros de la técnica de relajación anteriormente descrita (p. 67). Tensa y relaja cada grupo de músculos, respira despacio y con regularidad, imagina que tu cuerpo pesa cada vez más.

2. Imagínate ahora en la situación del examen. Aunque no sepas todavía dónde va a tener lugar, el escenario es siempre muy parecido. Estarás ante un pupitre o una mesa, entre otros estudiantes. Estaréis en silencio. En un momento dado te inclinarás sobre el papel del examen y comenzarás a escribir. Imagínate toda la escena teniendo presente, en todo momento, que sientes relajación y tranquilidad, y que tu respiración es calmosa y regular. Visualízate a ti mismo/a escribiendo con diligencia pero con tranquilidad, respondiendo, sobre el papel, al cuestionario, consciente en todo momento de que tu mandíbula y tu cuello están relajados y de que te encuentras libre de todo exceso de tensión.

3. Repite el proceso todos los días (todas las noches) antes del día del examen. Estás persuadiendo a tu mente subconsciente para que asocie la imagen del examen con la idea de relajación y carencia de ansiedad. Tu mente subconsciente no es capaz de distinguir lo que es real y lo que es imaginado. Si continúas alimentando esta escena imaginada durante un período de tres semanas, la asociación se convertirá en permanente. Si antes has temido que tu mente se iba a quedar en blanco en el momento del examen, esos temores van a quedar borrados por la sobreimpresión de una nueva imagen, lo mismo que ocurre en la cinta de una casete o un vídeo, que cuando se graba un nuevo programa, queda el anterior completamente borrado.

Recordar nombres y caras

Puede que pienses que no es tan importante el que no puedas recordar siempre el nombre que corresponde a la cara de las diversas personas que has conocido. Pregúntaselo a cualquier hombre o mujer de negocios, y verás como piensan de muy distinta manera. En realidad, es una verdadera manifestación de deferencia la que le haces a una persona cuando recuerdas su nombre; automáticamente habrás subido varios puntos en su estima.

Para retener apellidos hay que aplicar también el sistema de crear imágenes. Tal vez me digas: "¿Qué puedo imaginarme con apellidos, que son casi siempre abstractos?". Es verdad, pero si procedes de acuerdo con un determinado sistema, verás cómo puedes crear imágenes con los apellidos.

En primer lugar, hay un grupo de apellidos, que tienen ellos mismos un significado concreto, como: Molinero, Zapatero, Ríos.

Hay otro grupo, más complejo, pero parecido al anterior: Casanova, Polavieja, Villaverde, etc. Son también concretos, pues Casanova puede descomponerse en casa y nueva; Polavieja en Pola (población) y vieja.

Puedo visualizar fácilmente los rostros de estos dos grupos, asociados al significado de sus apellidos. Puedo ver esa cara conocida con atuendo de molinero llevando un saco de harina; la fisonomía de la Sra. Ríos puedo verla en el paisaje de la confluencia de dos ríos, etc. Lo mismo con los del segundo grupo: al Sr. Villaverde puedo visualizarlo en el paisaje de una bonita aldea con verdes praderas, etc.

Hay otros apellidos que pueden resultar más difíciles en este juego. Pero siempre se pueden buscar palabras de sonido similar que nos puedan suscitar una imagen. Vamos a darte, como ejemplo, algunas pistas:

- Aburto – hurto
- Acha – hacha
- Amorós – amoroso
- Ajuria – injuria
- Arellano – en el llano
- Alzola – ola alzada
- Ahedo – hayedo
- Aparicio – aparición
- Aras – aros
- Arias – aria (canto)
- Barquín – barquichuela
- Bañales – baño
- Barroso – barro
- Bayón – Bayona

Siguiendo estos apellidos que hemos puesto como ejemplo, podrás hacerlo con muchísimos otros, hallando un objeto o una imagen de parecido sonido, que habrás de visualizar juntamente con el rostro de la persona. Te resultará así mucho más fácil el recordarla.

Recordar listas y objetos sin orden

¿Has contemplado alguna vez a esos 'magos' del espectáculo, que solicitan a los espectadores para que les digan nombres de objetos muy variados que después son capaces de recordar y decir en qué número de orden estaban? Dichos 'magos' utilizan uno de los más antiguos trucos de memoria: el de las 'palabras de pega'; es decir: asociar los objetos sin orden aparente a una serie fija de palabras.

Un 'mago' experimentado puede usar hasta un centenar de 'palabras de pega', pero para que te sirva este ejercicio, sólo vamos a trabajar sobre diez. Se toman, pues, los números del uno al diez, y se inventa una palabra que rime con cada número. A mí se me ocurren las siguientes:

- Uno – humo
- Dos – tos
- Tres – mes
- Cuatro – gato
- Cinco – brinco
- Seis – rey
- Siete – vete
- Ocho – bizcocho
- Nueve – llueve
- Diez – pez

Una vez que hayas escogido los nueve vocablos (que no tienen por qué ser los mismos que los míos), apréndetelos bien. Estos no han de cambiar nunca; simbolizarán siempre los números uno al diez.

Ahora piensa en diez objetos sin orden; por ejemplo: una herradura, la torre Eiffel, un árbol de Navidad, un bastón, una naranja, una computadora, un cuervo, una rosa, una hamburguesa y un reloj de pulsera. Ahora trata de relacionar estos objetos con las 'palabras de pega'. Como hemos dicho anteriormente, haz que la imagen sea llamativa o divertida, en lugar de muy normal. En nuestro caso, tus asociaciones podrían ser algo así:

- Estoy que echo humo, mientras el herrero pone la herradura a mi caballo
- Basta que suba a la torre Eiffel, para que me dé un ataque de tos
- Ya sólo falta un mes; tenemos que comprar el árbol de Navidad
- Siempre que agarro mi bastón, se escapa el gato.
- Tuve que dar un brinco para alcanzar la naranja del árbol
- Una computadora de esta potencia sólo la tiene el rey
- ¡Vete, cuervo, vete, que eres pájaro de mal agüero!
- Doña Rosa no quiso la rosa, prefirió el bizcocho
- Siempre llueve después de haberme comido una hamburguesa
- Me puse a guisar el pez, y en el vientre del pez hallé un reloj de pulsera

Una vez creadas estas imágenes, si alguien te pregunta: "¿Cual es el objeto número ocho?", relacionarás inmediatamente a Doña Rosa con la rosa y el bizcocho.

No vayas a pensar que este sistema no te va a servir más que para asombrar a tus amigos. Tanto en los estudios como en la vida se te presentarán muchas ocasiones en las que te interesará poder recordar cierto número de objetos diversos. Una vez memorizadas tus 'palabras de pega', no te resultará nada difícil el conseguirlo.

6

Oír y escuchar

Así como son dos cosas muy distintas el ver y el observar, asimismo hay una diferencia abismal entre oír algo y ponerse realmente a escucharlo. La capacidad de escuchar (como contrapuesta al oír) implica concentración. Si quieres comprobar hasta qué punto un pequeño grupo puede concentrarse en lo que se va diciendo, lee este texto en voz alta a tus amigos:

Un hombre de negocios de la ciudad estaba cerrando la oficina al término de su día de trabajo, cuando irrumpió un hombre y, apuntándole con una pistola, le pidió dinero. La caja fuerte de la oficina fue abierta. Los contenidos de la caja fuerte fueron puestos en una bolsa, y el hombre huyó. Llamaron inmediatamente a un miembro de la policía.

Haz ahora las siguientes ocho afirmaciones. Para cada caso hay tres respuestas: 'verdadero', 'falso' y 'no consta'.

1. Un hombre irrumpió cuando el director estaba cerrando la oficina
2. El ladrón era un hombre
3. El hombre no pidió dinero
4. El hombre que abrió la caja fuerte fue el director
5. Alguien abrió la caja fuerte
6. Después que el ladrón hubo puesto los contenidos de la

caja fuerte dentro de la bolsa, huyó
7. En cuanto marchó el ladrón, llamaron a un policía
8. Las únicas personas mencionadas en la narración son: el director, el ladrón y el policía

Las respuestas son:

1. No consta. (El hombre de negocios de la ciudad estaba cerrando la oficina. Puede que no sea la misma persona que el director.)
2. Verdadero
3. Falso
4. No consta. (No sabemos quien abrió la caja fuerte)
5. Verdadero
6. No consta. (No sabemos quién puso los contenidos de la caja fuerte dentro de la bolsa)
7. No consta. (El miembro de la policía pudo haber sido un hombre o una mujer)
8. No consta. (Pudo haber cuatro personas, si el hombre de negocios y el director eran dos personas distintas. Tampoco sabemos si el miembro de la policía era un hombre)

Me sorprendería mucho que alguien hubiese podido dar respuestas acertadas a todos los puntos. De hecho, en todos los seminarios de Técnica de Aprendizaje que he dirigido durante varios años, *nunca* he hallado una persona que lo lograra. ¿Por qué?

Todos tendemos a oír lo que *pensamos* que oímos. Nuestras presunciones se basan en conocimientos, creencias y experiencias anteriores, pero estas presunciones pueden ser inexactas. En el caso de nuestro ejercicio, no es que la gente no haya oído las palabras o no haya entendido lo que se les decía. Es que lo han oído a un nivel superficial. Al tratarse de un texto tan corto y sencillo, pensaban que no era necesario realizar un verdadero esfuerzo de concentración.

Concentración al escuchar

Cuando escuchas a un orador aburrido, tu mente tiende a divagar y te vienen a la cabeza toda clase de otros pensamientos. El resultado es que te enteras de muy poco de lo que se ha dicho, aun cuando hayas podido oír todas las palabras.

Es mucho más difícil concentrarse al oír que al ver. Si estás mirando algo, es muy posible que enfoques tu atención sobre aquella palabra o imagen y no sobre otra cosa. Pero, tratándose de oír, puedes comenzar prestando toda tu atención pero, como al mismo tiempo estás viendo cosas, hay tendencia de que tus pensamientos sigan las imágenes más que los sonidos, porque es más fácil concentrarse en las imágenes.

Aunque nos encontremos cara a cara con la persona que está hablando, es muy posible que nuestra mente se distraiga (especialmente si no nos interesa lo que están diciendo). Puede ser que estemos pensando en qué vamos a poner para cenar o cómo resolver algún problema familiar.

Puesto que no vivimos dentro de una cápsula de silencio, siempre habrá, en torno nuestro, otros ruidos que dificultarán nuestra concentración, aunque la materia del discurso nos parezca interesante. De hecho, cuanto más molestos nos parezcan estos sonidos distrayentes, más conscientes nos hacemos de ellos, con lo que desaparece nuestra capacidad de enfocar la atención hacia lo que se está diciendo. Y al contrario, en los momentos en los que conseguimos mantener la concentración, los ruidos extraños parecen desaparecer de nuestra conciencia.

Es mucho más fácil mantener la concentración cuando estamos interesados en lo que queremos oír. Una madre cansada puede caer dormida ante la televisión o durante una ruidosa tormenta, pero se despertará instantáneamente en cuanto su niño comience a lloriquear. Le *interesa* su niño, y su mente se encuentra siempre alerta ante cualquier sonido que de él provenga.

Si quieres aumentar tu concentración auditiva, tienes que hallar una manera de hacer que el tema sea de gran interés para ti. Quizá, por formar parte de una materia más amplia que quieras estudiar, puedas acuciar tu interés por lo que se está diciendo, por muy aburrido que sea el conferenciante. Es mejor que te dediques a buscar, mentalmente, argumentos contrarios a los del ponente, que vagar a la deriva de la corriente de cualquier pensamiento. Por lo menos pondrías atención a lo que se dice, si tratas de llevarle, mentalmente la contraria.

Hay algunos ejercicios que puedes practicar para aumentar tu poder de concentración:

- Cuando vayas por la calle, dedícate a seleccionar un tipo determinado de sonido de entre toda la cacofonía que te rodea. Podrías escoger el escuchar las voces de los niños o bien la música que procede de las tiendas o de las radios de los coches. Si te concentras en ello, verás cómo eres consciente sólo de los sonidos que has elegido, y puedes prescindir de cualquier otro ruido por muy insistente que sea.
- Compra (o alquila) un disco de cantos de pájaros. Aprende a distinguir, unos de otros, los cantos de los diversos pájaros. No lo conseguirás sino a través de un alto grado de concentración que te capacitará para otras áreas de la vida.
- Cuando oigas a un orador, en persona o a través de la radio o la televisión, ten en cuenta que él o ella, han dedicado tiempo y trabajo para planear y estructurar lo que iban a decir. Mientras escuchas, trata de descubrir ese plan y esa estructura, observando cómo los desarrolla, no importa si estás de acuerdo con sus afirmaciones o no.

Mejorar tu concentración al escuchar

Prepara el terreno antes de empezar. Pon fuera de tu alcance (sobre todo, fuera de tu vista) todo lo que creas que te puede distraer mientras escuchas. No te hacen falta distracciones. Prepara también y limpia el campo de tu mente. Si tienes alguna preocupación o algo que debes recordar más tarde, será mejor que lo escribas para después, pero ahora bárrelo de tu cabeza, para que tu mente quede libre para concentrarte en lo que tienes que oír.

Recuerda que todo lo que aprendemos tiene una finalidad, aunque ésta no aparezca obvia a las inmediatas. También puede ocurrir que la importancia de lo que vas a oír sea totalmente evidente. Y también puede suceder que, una vez que lo hayas oído, veas que no tiene ninguna importancia. Pero, si no escuchas bien, ¿cómo vas a saberlo?

Trata de conectar lo que oyes con los otros sentidos. Cuando escuches un disco con cantos de pájaros, te ayudará el imaginar los pájaros frente a ti. Si un conferencista está tratando un tema determinado, imagina las diapositivas o las ilustraciones que podría haber presentado. Haciendo esto, evitarás que te distraigan las otras cosas que tienes ante tu vista.

Puesto que tu cerebro es capaz de funcionar a una velocidad muy superior a la de cualquier orador, te sobrará tiempo para 'archivar' lo que oyes, para añadir lo que te imaginas y para comprobar que la nueva información acrecienta tu propio caudal de conocimientos. También tendrás tiempo para pensar en qué no estás de acuerdo con lo que se dice. Si no utilizas, de esta forma, tu cerebro, sucederá que el tiempo 'sobrante' será utilizado, automáticamente, para que tu mente divague por cualquier otro pensamiento.

Los oradores y conferenciantes aburridos suelen hacer un flaco servicio a contenidos muy interesantes. Mejor será que te concentres en el contenido e importancia de lo que están diciendo, que en emplear el tiempo en evaluar la calidad de la voz o del atuendo del personaje.

Si, todavía, tu mente tiende a divagar, siempre puedes jugar a los acertijos. Trata de acertar qué es lo que el orador va a decir a continuación, y aguarda a ver si tienes razón. Pero no te entregues demasiado a tu juego y te olvides de escuchar lo que sigue diciendo.

Haz todo lo que puedas para desechar las distracciones, tanto visuales como auditivas. Porque siempre habrá, en el auditorio, alguien que tosa persistentemente. Siempre habrá alguna perforadora o alguna otra máquina en las obras de la calle. El orador se quitará y se pondrá las gafas cada pocos segundos, ¡no cuentes las veces! Me ocurrió una vez, que perdí todo el contenido de la charla porque quedé fascinada por el 'baile' del orador sobre el estrado; mientras hablaba, daba dos pasos adelante, dos pasos atrás, uno hacia un lado, etc. Yo estaba en vilo porque, si se equivocaba en un pequeño paso ¡podía haberse caído del estrado abajo!

Sabiendo que las imágenes permanecen en la mente mucho mejor que las palabras, trata de aprovechar ese tiempo 'sobrante' en trasladar las palabras a imágenes mentales.

En tal caso tendrás el recurso a dos sentidos cuando te llegue la hora de recordar el contenido de la conferencia.

Fíjate en un animal cuando está en trance de escuchar. Absolutamente quieto, con las orejas extendidas. Tú no podrás extender las orejas, pero sí podrás mantenerte con máxima atención y con tu espalda erguida. Si te inclinas algo hacia adelante y miras al orador, quizá te concentres mejor en lo que está diciendo.

Podrás decidir si te ayuda el tomar notas mientras escuchas, pero intenta resumirlas en palabras y puntos clave. De hacerlo así tendrás información suficiente que llenarás de sentido cuando, más tarde, leas tus apuntes. Sólamente el decidir qué es lo que tienes que anotar, será suficiente para enfocar tu atención sin distracciones.

No caigas en la trampa de estar preparando tu propia pregunta o respuesta mientras otra persona está hablando (lo mismo en clase que en una reunión social). Si escuchas lo que se está diciendo, y lo relacionas en tu mente con lo que ya conoces, serás muy capaz de expresar tu punto de vista cuando llegue el momento. Todos hemos sido testigos del hecho de que un miembro del auditorio hiciera al orador una pregunta que todos la sabíamos, porque el orador ya la había desarrollado en su charla.

Si has tomado apuntes, repásalos cuanto antes después de la clase. Añade una palabra aquí y otra allá, para dejar las cosas más claras. Quizá decidas confeccionar un mapa de ideas para fijar los temas en tu mente.

Siempre es bueno hacer preguntas a tiempo, si crees que no has entendido bien algo de lo que se ha dicho. En mis años de docencia me he encontrado con estudiantes que no se atrevían a decir: “no he comprendido”, para no parecer tontos ante los demás. Si éste es tu caso, hay varias fórmulas más sutiles para decir lo mismo, como:

- Entonces, ¿quiere decirse que...?
- ¿Estoy en lo cierto si pienso que...?
- Sólo quiero estar segura; ¿decía usted que...?

Y otras fórmulas similares que se te ocurrirán a ti.

Tienes que pensar también que, si hay algo que no has comprendido del todo, es muy probable que tampoco otros lo hayan comprendido. Donald Weiss, de la American Management Association, solía referir la anécdota de una conferencia anual en la que todas las ponencias eran largas y aburridas. Algunos psicólogos, tratando de hacer un experimento, alquilaron a un actor de teatro para que pronunciara una conferencia. El actor la pronunció con gran expresión y autoridad, aunque el contenido dejaba mucho que desear. Pero él supo introducir aquí y allá palabras inventadas que sonaban a algo muy importante. Al final del simposio, los delegados, impresionados por la convicción y viveza de la exposición del actor, dijeron que la suya había sido la mejor de las ponencias.

Desde luego que, si se hubieran concentrado en el contenido de lo que dijo, si hubieran tomado notas o hubieran hecho preguntas sobre lo que no comprendieron, los tales delegados no hubieran sido engañados tan fácilmente.

Una manera de que esto no te suceda a ti es pedirle a cualquier amigo que te dé cualquier información durante tres o cuatro minutos. Al término de los mismos ve a ver si le puedes repetir a tu amigo todo lo que te ha dicho. Es mucho más difícil de lo que supones. Pero sirve para comprobar que, con la práctica, mucha gente puede ser capaz de captar el contenido de cuanto ha sido dicho.

7

Mejorar tu lectura

Leer es algo que has estado haciendo durante muchos años. Sin embargo, te sorprenderás de lo mucho que puedes mejorar tu capacidad de lectura. Tal vez pienses que no te hace ninguna falta, pues hasta ahora no has tenido ningún problema al respecto. De todas maneras, como la lectura va a jugar un papel importantísimo en cualquier modalidad de estudios, te vendrá muy bien aprender a leer de una manera más rápida y eficiente.

El propósito de este capítulo es enseñarte la forma de aumentar tu velocidad de lectura, y cómo leer en orden a aprender, extractando palabras y datos del texto. Esto te facilitará tanto la comprensión como el recuerdo. Hallarás, también aquí, ejercicios para aumentar la eficiencia de tu vista y para reducir el cansancio de tus ojos.

Cómo trabajan tus ojos

Si tratas de mejorar la forma de usar tus ojos, antes que nada has de saber cómo funcionan. Es importante tener en cuenta que, si estás mirando un objeto, y ese objeto está quieto, entonces también tus ojos han de estar quietos. Pero si el objeto se mueve, también tus ojos han de moverse. Si has intentado leer el nombre de una estación desde la ventanilla de un tren en marcha, sabes a qué me refiero. El letrero de la estación está quieto y tus ojos se mueven; lo que ves es un borrón. (Pero hay una manera de hacerlo; si te concentras en el letrero antes de llegar a su altura, llegará un breve instante en el que te encontrarás frente al nombre, y tus ojos estarán quietos, no por mucho, pero sí por el tiempo justo para ser capaces de leer lo que allí está escrito.)

La dificultad que surge al leer es que tus ojos tienen que trabajar de dos maneras. Tienen que moverse para seguir las líneas de palabras y tienen que detenerse para leer cada una de las palabras allí escritas o impresas. Esto supuesto, hay varias maneras de acelerar tu lectura teniendo en cuenta estos movimientos del ojo.

Además, posees una visión periférica mucho más extensa de lo que puedes pensar. Puede que estés mirando de frente, pero además puedes ver mucho de lo que se encuentra a tu derecha y a tu izquierda, aunque en aquel momento no prestes mucha atención a ello. Vas a ver, enseguida, lo importante que es el aumentar la conciencia de lo que se percibe por medio de esta visión periférica.

Aumentar la rapidez de tu lectura

Cualquier estudiante comprende que todo se le haría mucho más fácil si pudiera aprender a leer más rápidamente y comprendiendo, a la vez, todo lo que ha leído. Porque no tendría ningún interés el leer más rápidamente, si llegas al final del texto sin haber comprendido nada de lo que allí estaba escrito.

Tratándose de un texto que no incluya lenguaje técnico complicado o fórmulas científicas, la media de rapidez de lectura de un adulto es de 100-300 palabras por minuto. Pues bien, con práctica, no es difícil, para la mayoría, aumentar esta rapidez a 500-600 palabras por minuto, acortando así, drásticamente, el tiempo empleado.

Si quieres aumentar tu rapidez de lectura, lo primero que necesitas es saber cuál es tu actual rapidez de lectura.

El texto que viene a continuación es un extracto de mi libro *Elementos de Visualización* , que puedes utilizar como test, porque está escrito en un lenguaje ordinario, no técnico, y no se halla interrumpido por diagramas o ilustraciones. Usa un cronómetro o cualquier otro método de medir el tiempo y observa cuánto tiempo te lleva el leer el texto.

Cada día que pasa, es más generalmente aceptado el hecho de que nuestro estado mental ejerce una gran influencia sobre nuestra salud física. Naturalmente, esta influencia puede ser buena o mala. Todo el mundo sabe que, uno que se siente desgraciado o deprimido puede contraer un resfriado con más facilidad que uno que se siente contento de la vida.

Hablando de resfriados, siempre nos encontramos con alguien que nos dice, muy satisfecho: "Yo nunca atrapo un resfriado". Y lo cierto es que no lo atrapan. Sin embargo (como no vivan en alguna situación de aislamiento), esta gente vive en contacto con el mismo número de gérmenes y virus que los demás. ¿Qué es lo que ocurre, para que no tosan ni estornuden ni sufran los demás síntomas típicos de un resfriado? Ya está dada la respuesta a esta pregunta: ellos saben *que no van a contraer un resfriado, y este conocimiento es suficiente para reforzar su sistema inmunitario y convertir su fe en un hecho.*

También funciona lo contrario. Todos hemos tropezado con el personaje que nos dice: "Estoy hecho un desastre. Si anda por ahí algún catarro o alguna gripe, soy yo el que los atrapa". Y pasan gran parte del invierno (y, a veces, también del verano) con las narices tapadas, los ojos llorosos y la cabeza cargada.

Y ¿qué significa el que alguien diga que está 'hecho un desastre'? Pues que su sistema inmunitario no funciona eficientemente, y que hay algo que podría ser corregido por medio de una visualización positiva.

Con esto no quiero dar la impresión de que la visualización hace posible que podamos prescindir de golpe de médicos, cirujanos y medicinas. Nada de eso. Lo que la visualización puede, *es ir mano a mano con otras formas de tratamiento, haciéndolas más eficientes y logrando que el paciente participe en su propia recuperación. Mu-*

cho de lo que hallarás escrito en este capítulo te será útil sólo en el caso de que hayas consultado al experto que pueda hallar qué es lo que no funciona bien en ti. Es verdad que existe la auto-diagnosis, pero es un ejercicio peligroso, ya que el paciente no tiene los conocimientos suficientes acerca el funcionamiento de su cuerpo y, además, en un estado de postración, se le hará aún más difícil ser objetivo en lo que respecta a sus síntomas.
La forma más exitosa de tratamiento –sea éste de medicina ortodoxa o complementaria– es el tratamiento holístico. Es decir: el que trata globalmente al paciente, y no sólo al síntoma. No se hace nada dándole al paciente una píldora que disipará el dolor en una parte de su cuerpo, si el mal reaparece luego en otro lugar.
Tratar el dolor. *Es éste un terreno en el que hay que proceder con mucha cautela. Puede ser sencillo el usar el poder de la mente para disipar el dolor, pero puede que ello resulte peligroso.*

El texto que acabas de leer tiene muy poco más de 500 palabras. Podrás, por tanto, conocer cuál es tu velocidad media de lectura.

Tiempo empleado	*Velocidad media de lectura*
5 minutos	100 palabras por minuto
4 minutos	125 palabras por minuto
3 minutos	165 palabras por minuto
2 minutos	250 palabras por minuto
1 minuto	500 palabras por minuto

Veamos ahora qué podemos hacer para aumentar esta velocidad:

1. *Movimiento del ojo:* Si estudiamos el movimiento del ojo de un lector lento, hay varios datos que podremos comparar con el movimiento del ojo de un buen lector:

- los ojos de un lector lento sólo leen una palabra cada vez que se detienen.

- el paso a lo largo de la línea del texto es entrecortado, en lugar de continuo.
- el lector lento volverá atrás con frecuencia para volver a leer una palabra o frase que ya había visto antes.

Lo que necesitas, por tanto, es entrenarte a leer varias palabras cada vez que tus ojos se detengan, y procurar que el movimiento de tu ojo, al recorrer las líneas, sea continuo y sin mirar atrás, a las palabras que ya han pasado. Esto requiere práctica, incluso te parecerá violento al principio, hasta pensar que ello te retarda la lectura. Persevera. Como acontece con los demás músculos, también los músculos de los ojos se pueden entrenar para que funcionen como tú quieras.

2. *Usar un puntero:* ¿Recuerdas cuando aprendiste a leer? Seguro que ponías tu dedo sobre cada palabra para concentrarte en ella, y luego pronunciabas para ti la palabra, según la ibas leyendo. Después te dijeron que es 'más propio de mayores' el prescindir de esos hábitos. Es verdad que no hemos de seguir vocalizando las palabras que leemos, porque ello nos retrasaría, ya que podemos leer mucho más rápidamente de lo que hablamos. Pero la idea de un puntero no es mala del todo, auque el dedo no sea lo mejor, pues es un objeto demasiado grande para ser útil. Tampoco necesitas apuntar a cada palabra, porque esto reforzaría la costumbre de leer sólo una palabra cada vez. Trata de usar la punta de un lápiz, y pásala suavemente de arriba abajo, a la derecha del texto; te ayudará a mantener la atención enfocada en la línea correcta y propiciará un movimiento de ojos mucho más suave que de ordinario.

Si tienes dudas acerca de la eficacia de usar un puntero, piensa en toda esa gente (antes de que existieran las calculadoras) que recorría con un lápiz, de arriba abajo, la columna de cifras de una suma. Era, simplemente, una ayuda para la concentración y reducía el divagar de los ojos. Es algo que puede ayudar también a leer y concentrarse sobre la letra escrita.

Utilizar un puntero no será necesario cuando se lee algo por diversión o descanso, y no tiene importancia el perder unas pocas palabras si se sigue el sentido del texto. Pero cuando estudias un texto que está lleno de datos que necesitas saber, es preciso tener seguridad de que no se te escapa nada. Es entonces cuando tiene más sentido el uso de un puntero.

Volvamos al fragmento del texto que has leído antes. Usa el puntero para ayudar al suave avanzar de tus ojos a lo largo de las líneas y trata de leer varias palabras a la vez. Cronométrate y verás que aumentas tu velocidad de lectura. Si lo has conseguido en un tiempo tan breve, hazte idea de lo que puedes conseguir cuando emplees más tiempo practicándolo.

Leer es un hábito

Cualquiera puede aprender a leer más rápidamente. No hagas caso si te han etiquetado de joven como lector 'rápido' o 'lento'. Esta etiqueta no tiene por qué ser verdadera, ahora que eres mayor. Hay gente que se adapta demasiado a la auto-imagen que se ha formado por antiguos prejuicios, muchas veces, insensatos. Nada hay que pueda impedirte mejorar y borrar totalmente esas viejas clasificaciones.

Consigue el hábito de leer frecuentemente. Lee todo lo que caiga en tus manos: periódicos, revistas, libros, aunque sea un rato cada día. Cuanto más leas te convertirás en un lector más rápido.

Leer para aprender

Preparar el escenario

Es muy importante el lugar que escojas para estudiar un libro. A muchos nos gusta leer en la cama –incluso en el baño–, lo que podrá ser aceptable para una lectura intranscendente, pero no cuando se trata de algo serio.

Lo ideal es que te sientes ante una mesa. Te conviene una postura vertical, con tal de que que ésta sea relajada, en lugar de tensa o rígida. Sentarse en posición vertical te ayuda a respirar correctamente a partir de tu diafragma, lo que hace que llegue más oxígeno a tu cerebro. Esto, a su vez, te ayuda a permanecer alerta y a pensar con más claridad.

La iluminación ha de ser buena, pero no tan brillante que irrite tus ojos. Las luces fluorescentes no son las mejores, ya que la falta de fluctuación en la luz puede producir cansancio y tensión en los ojos cuando hayas leído durante un largo período de tiempo. Evita que tu cuerpo proyecte sombra sobre el texto en el que te estás concentrando. Si fuere preciso, cambia la posición de los muebles.

Nunca comiences un rato de estudio serio, sin tener a mano: bolígrafo, papel y, según el caso, un diccionario. Fuera de estos objetos, lo mejor es tener la mesa lo más libre posible, pues el efecto psicológico de una superficie limpia ayuda a pensar con claridad.

La distancia óptima entre el texto y tus ojos sería 20-30 cm. Si no puedes leer bien a esa distancia, puede que sea hora de que te examinen la vista y te apliquen la necesaria corrección.

Al comienzo de un rato de estudio, siéntate confortablemente y haz unas cuantas respiraciones profundas, respirando desde tu diafragma, más que desde la parte superior del pecho. Relaja tus hombros, no cierres los puños y no aprietes las mandíbulas. Será mejor que te acostumbres a no tener cruzados ni tus piernas ni tus tobillos. En tal postura no es posible mantenerse en completa relajación.

Según vas leyendo, acuérdate de detenerte y levantar la vista de vez en cuando, dando a tus ojos la oportunidad de fijarse en algo lejano. Esto evitará que los ojos se encuentren cansados o llorosos al final de la sesión.

Antes de empezar

Si vas a leer, en plan de estudio, habrías de tomar algunas medidas antes de mirar las primeras palabras:

- Toma conciencia de por qué te pones a leer. Toda lectura, en plan de estudio, se hace por algún motivo serio. La haces para aumentar tus conocimientos, para desarrollar tus pensamientos y opiniones, cotejando ideas y datos nuevos con tus anteriores saberes.
- Emplea diez minutos en echar un vistazo general al libro. Examina los títulos y subtítulos. Recorre el índice. Hojea las páginas advirtiendo las ilustraciones y los diagramas. Diez

minutos empleados en esto te darán una idea inicial del libro y te ahorrarán un tiempo precioso en el caso de que tengas que decidir que este libro no te va servir de mucho.

- Una vez que hayas dado con el libro que te interesa, divídelo en partes y decide qué parte vas a estudiar en cada sentada. Todo esto dependerá, naturalmente, del tema que estés estudiando y de la clase de libro que tienes ante tus ojos. Evidentemente, podrás estudiar fragmentos más largos de un libro de historia, que de un libro científico o matemático. Algunos libros, bastará con leerlos una vez, con la suficiente atención; pero otros habrá que repasarlos una y otra vez, sobre todo en algunos pasajes.

  Intenta hacerte una idea de cuánto podrás abarcar en el rato de estudio que te has propuesto. Al principio no podrás hacerlo con mucha exactitud, pero pronto acabarás sabiendo hasta dónde podrás llegar en cada sesión. Lo importante, por supuesto, no es saber cuántas páginas vas a poder devorar, sino cuánto eres capaz de estudiar de forma que luego puedas recordar lo más importante. Si, al comienzo, eres excesivamente optimista, vete reduciendo un poco tu cuota. Es mejor hacerlo así que estudiar de manera ineficaz. Después de todo, de lo que se trata es de que aprendas.
- Como decíamos antes, el aprender implica el ensamblar conocimientos nuevos con los que ya poseías anteriormente. Antes de comenzar a estudiar un libro nuevo o un capítulo nuevo, emplea unos momentos en actuar lo que ya sabes acerca del tema en cuestión. Al traer tus antiguos conocimientos a la primera fila de tu mente, serás capaz de aglutinar con mayor facilidad tu vieja y tu nueva información.

Qué hacer mientras lees

Suele decirse que sólo el 20 % de cada libro contiene nuevas ideas o conceptos. El 80 % restante está allí para proporcionarnos una base de referencia sobre la que construir. Dicho de otra manera: hay allí infinidad de palabras que están actuando como nexos, repeticiones, enlaces, etc. entre las verdaderas piezas de información. Tu vista pasa por todas estas palabras (que sirven, desde luego, para dar sentido a lo que lees), pero el número de palabras que, realmente has de recordar, es comparativamente reducido.

Si comprendes el sentido de lo que estás leyendo, serás capaz de explicarlo con tus propias palabras. No tienes por qué reproducir, palabra por palabra, lo que ha dicho el autor. En realidad, ni el mismo autor sería capaz de hacerlo.

Interesarte por lo que lees

Si no tienes interés en lo que estás leyendo, te será muy difícil el retenerlo. Esto puede presentar un problema, cuando tienes que estudiar libros que no son de tu elección. Si no puedes interesarte por algún determinado libro, piensa que otros sí lo han estimado interesante, y trata de adivinar por qué habrá sido. Pregúntate acerca del pasaje que estás estudiando. Si te cuesta responder, detente y vuelve sobre ello o, si es preciso, sobre toda esa sección.

Palabras clave

Según vas leyendo, vete adquiriendo el hábito de fijarte siempre en las palabras clave o los datos clave del texto. Podrán ser simples palabras, piezas de información, datos, etc. Cada página de texto suele poder reducirse, aproximadamente, a diez o quince palabras clave. Al llegar al final de un capítulo o sección, haz una lista de de estas palabras clave y forma con ellas un mapa de ideas con sentido encadenado. Con esto no caerás en la aburrida práctica de 'aprender de memoria', puesto que tendrás pensadas las cosas suficientemente para comprenderlas, y estarás, por tanto, en condiciones de retener la nueva información y de poder recordarla a voluntad.

Intenta el siguiente ejercicio. Mientras vayas leyendo el pasaje siguiente (tomado de uno de mis artículos acerca de la hipnosis), haz una lista de las palabras y frases clave:

> *"Pero, es que yo oía todas las palabras..." Cuántas veces ha salido este comentario de alguien que había experimentado la hipnosis por primera vez. Parece que*

todos esperan quedar 'dormidos' o 'inconscientes', una vez hipnotizados, cuando nada hay más lejos de la realidad.

Quizá la mejor manera de explicar lo que se siente al quedar hipnotizados, es describirlo como algo a medio camino entre una relajación profunda y una meditación ligera. Lo que debe saber toda persona antes de ser hipnotizada es que va a tener pleno control de su situación. Es decir que, si está decidida a no quedar hipnotizada, entonces nada ocurrirá. En todo caso, será capaz de oír cada palabra que sea pronunciada, de entender todo lo que se diga y, si en cualquier momento no le gusta lo que está diciendo la terapeuta, todo lo que ha de hacer es abrir sus ojos... y se acabó la sesión.

Pero ¿qué beneficio se puede sacar de quedar relajado y escuchando a alguien que te habla? El quid está en que, cuando tu cuerpo y tu mente consciente se hallan en un estado de relajación, entonces se hace posible que las palabras de la terapeuta lleguen a tu mente subconsciente. Porque es tu subconsciente el que, alimentado por todas las experiencias que has vivido y por las influencias que han ejercido sobre ti las personas y acontecimientos de tu vida, influye en tus acciones y reacciones actuales.

¿Qué has puesto en tu lista? En la mía he puesto lo siguiente:

Hipnoterapia
- espera
- dormido / inconsciente
- relajación / meditación
- control
- oír / entender
- beneficio
- subconsciente
- experiencias (gente y acontecimientos)

Ahora toma la lista y crea, a partir de ella, un mapa de ideas sobre el tema: Hipnoterapia. Resultará algo parecido al que ponemos aquí (aunque no hay ningún mal en que añadas algunas ideas de tu propia cosecha, si te ayudan a comprender mejor el tema).

Oír / entender

Dormido/inconsciente Controlando

Expectativas Realidad

Paciente

HIPNOTERAPIA

Método Beneficios

Relajación Superar problemas

Subconsciente

Influido por el pasado
(Personas y acontecimientos)

Posibles momentos de atasco

Puede haber momentos en los que, de pronto, te das cuenta de que, aunque hayas leído las palabras, no has captado el significado del texto. Hay varias posibles explicaciones para ello:

1. Te hallas cansado/a. Si es así, mejor será que abandones esta sesión de estudio, y la reanudes más tarde, quizá mañana. El continuar estudiando te producirá todavía más cansancio y acabarás no sabiendo lo que quieren decir las palabras que lees. Además, hará que te desilusiones del tema que estás estudiando o que te irrites; emociones negativas ambas, que suponen un desperdicio total de energía.

2. Te has propuesto una meta excesiva. Tal vez hayas dividido el libro en secciones demasiado extensas para poder abarcarlas. Tratar de proseguir será inútil. Será mejor que reduzcas la cantidad de trabajo que hayas de afrontar cada vez.

3. El texto es difícil. En tal caso, he aquí algunas opciones:

- volver a leer el texto, a ver si se te aclara el sentido
- escribir los puntos que crees más importantes, para ver si los has comprendido
- intentar con otro libro; ¡ya sabes que hay autores muy aburridos!
- seguir un poco adelante, y ver si el pasaje siguiente ayuda a comprender el anterior
- pedir ayuda a un profesor o a un experto en el tema que estudias

Lo más importante es no quedarte ahí, alimentando desilusión y fracaso. Siempre hay algo que se puede hacer para solucionar la situación.

Vocabulario

Puedes quedar atascado/a por desconocer el vocabulario. Dependerá del tema que leas o estudies.

Si el texto trata un tema general (no técnico), no importará el que te encuentres con alguna palabra que no te sea familiar. Si no impide que comprendas el pasaje que estás leyendo, déjala pasar y no te detengas. Pero si la palabrita vuelve una y otra vez, apúntala en un papel, y luego la miras.

Si el libro que estudias contiene muchas palabras de tipo técnico o especializado, tendrías que haberlo sabido antes de comenzar a leerlo. Antes de empezar a estudiar, conviene que hojees rápidamente el texto, anotando los términos que no te sean familiares. Toma nota de ellos y busca su significado. Te vendrá bien tener a mano esa lista mientras estudias, para no tener que detenerte a cada paso.

Si tu vocabulario no es suficientemente amplio, la rapidez de tu lectura quedará muy reducida. Tendrías que enriquecer tu vocabulario general. Dedica algún tiempo a esto. Ten una libreta en la que apuntes las palabras que te van saliendo y no te son familiares, vete a un diccionario y apunta su significado en la libreta. Si la llevas en el bolsillo, podrás repasarlas en los ratos perdidos, cuando aguardes al tren, por ejemplo.

Después de una sesión de lectura

Al llegar al término de uno de tus ratos de estudio, siéntate con paz y pregúntate qué es lo que el autor ha querido decir. ¿Estás de acuerdo con él? ¿Podrías explicarle todo ello a un colega, y con tus propias palabras?

Acuérdate también de tomar notas después de haber acabado tus períodos de lectura. Si tomas la costumbre de escribir *siempre* algo (aunque sea esquemáticamente), se te fijará en la mente lo que has leído y te será mucho más fácil el recordarlo.

Has de hallar tu propio método para tomar notas (sugerencias en el Capítulo 8º). De alguna forma tienes que parafrasear lo que acabas de leer. Si te ha quedado algún punto dudoso, este es el momento de revisarlo volviendo sobre el texto. Si dejas que se te amontonen las incertidumbres, llegará un momento en el que habrás perdido de vista el sentido de todo el libro.

Una vez que hayas comprendido el sentido de lo escrito, crea un mapa de ideas para ilustrarlo. Esto te servirá para dos cosas. Por una parte, te ayudará a comprender no sólo las ideas aisladas, sino su concatenación y progresión. Por otra parte, cuando llegue el día del repaso, se te hará éste mucho más fácil ante una serie de mapas de ideas que contengan lo esencial. Mucho mejor que volver a leer libro tras libro.

Estudiar una lengua extranjera

Dado que nos hallamos integrados en la Unión Europea, se hace cada vez más conveniente el conocer otras lenguas, tanto por motivos profesionales como turísticos.

Se ha comprobado que ayuda mucho el leer textos bilingües en los que el 'otro' lenguaje aparece impreso en la columna paralela al 'nuestro'. Ocurre que, mientras lees las palabras escritas en una lengua, tu visión periférica es, automáticamente, consciente del texto de la traducción, de forma que te hallas aprendiendo subconscientemente.

Hemos de advertir que ésta es un área de aprendizaje, en la que las secciones han de ser relativamente cortas, quizá no más de cinco frases cada vez

Ejercicios de los ojos

Te conviene hacer ejercicios sencillos para ayudar a que los músculos en torno a los ojos funcionen eficientemente. Te ayudarán a prevenir el cansancio y la tensión ocular, evitando el deterioro de la visión.

1. Cuando leas, detente con frecuencia y mira a algo distante, por ejemplo, lo que se ve desde la ventana. La concentración intensa sobre la página puede causar dolor de cabeza y tensión en torno a los ojos.

2. Asegúrate de que tus ojos parpadean mientras lees. Cuando nos concentramos en algo, todos nuestros músculos se ponen más tensos y no parpadeamos. De hecho, una de las maneras de saber si alguien está nervioso (aunque aparente tranquilidad), es mirar sus ojos. Esa mirada sin parpadeos le traiciona. Alza, pues, con frecuencia la vista del libro y parpadea varias veces; tus ojos se lubrificarán mejor y se cansarán menos.

3. Relájate. A mayor relajación, menos tensión corporal y, por lo mismo, habrá menos tensión en tus ojos. En muchos casos, la mala visión y el cansancio de los ojos no están causados por una malfunción de los ojos mismos, sino por un exceso de tensión en los músculos que los rodean.

Puedes practicar cualquier método básico de relajación. Existen casetes que te pueden ayudar en este sentido. Y no aguardes al momento anterior a ponerte a estudiar. Trata de practicar la relajación como una parte de tu rutina diaria, aunque sólamente emplees quince minutos en ella. Comprobarás que merece la pena. Y no sólo en lo que respecta a tus ojos. Estando en estado de relajación y respirando bien, llega más oxígeno al cerebro, haciendo que éste pueda funcionar más eficientemente. Así pues, tu estudio mejorará por muchos conceptos.

4. Para dotar de flexibilidad a los músculos en torno a tus ojos, practica, de vez en cuando, este ejercicio: Sostén un lápiz, con la punta hacia arriba, a la distancia de tu brazo extendido. Mantén la punta del lápiz a la altura de los ojos y enfoca hacia ella tu atención. Lenta y suavemente aproxima el lápiz hacia ti, hasta unos 20 centímetros de tu nariz (antes de que tengas que cruzar los ojos), y luego, suavemente también, llévalo a su posición original. Haz esto tres veces.

5. Si tus ojos están cansados, pon las palmas huecas de las manos ante tus ojos (sin tocarlos). Mantenlas en esa postura por unos treinta segundos, mientras respiras profunda y rítmicamente. Repite esto cinco veces.

6. Ejercita tus ojos como lo haces con tu cuerpo. Mira al frente (pero no hacia una luz brillante). Ahora, sin mover tu cabeza, mira lo más arriba que puedas y luego lo más abajo que puedas. Mira lo más a la derecha y lo más a la izquierda que puedas, antes de volver a la postura original. Aguarda un par de momentos, y repite el ejercicio hasta tres veces.

7. Recuerda el viejo remedio de colocar paños fríos sobre tus ojos cerrados para aliviar la tensión de los mismos. Esto da muy buen resultado después de haber conducido durante algún tiempo en un día muy luminoso. Puedes usar paños humedecidos en agua o en alguna loción de ojos.

8. Recuerda que no sólo vemos lo que tenemos delante, sino que tenemos también una visón periférica que nos permite ver mucho de lo que está a derecha e izquierda. Intenta el siguiente ejercicio cuando vas en el asiento delantero el coche (¡no, si estás conduciendo!): Mira de frente a la carretera, pero advierte todo lo que puedas a derecha e izquierda. Verás lo mucho que puedes advertir. Este ejercicio te pondrá en buena forma para incrementar tu rapidez de lectura pues, con la práctica, llega a ser posible el mirar de frente a la mitad de la página y ver mucho de lo que, a derecha e izquierda, está completando el sentido del texto.

8

Escribir y tomar notas

Habría que empezar preguntándonos: ¿Por qué tomar notas? Pues porque querrás ser capaz de recordar lo que se ha dicho o leído, y puedes necesitar repasarlo antes de un examen. Para este fin es mucho mejor tomar tus propias notas, y no que te sean dictadas mientras las copias sin pensar en lo que quieren decir. Si tomas las notas personalmente, tendrás que pensar, a la fuerza, en lo que escribes y comprenderlo. Además las pondrás de una forma que, más tarde, tenga sentido para ti.

En este capítulo vamos a tratar varios aspectos en torno a las anotaciones, como parte del proceso de aprendizaje. Trataremos de estos puntos:

- cómo aumentar tu rapidez de escritura, manteniendo (y mejorando) su legibilidad
- tomar notas: ya sea escuchando una clase, ya sea mientras estudias un libro
- corregir lo escrito: incluyendo ideas para repaso, ensayos e informes
- caligrafía, gramática, etc.: algo muy importante, puesto que los fallos en este área pueden hacerte perder buenas calificaciones en los exámenes, así como credibilidad a la hora de redactar un informe importante.
- redactar ensayos, informes y tesis.

Cómo escribir más rápido

Para muchos de nosotros, ganar tiempo es muy importante. El estudiante puede que tenga muchas materias que estudiar; una madre de familia atareada tendrá un tiempo muy medido para sus estudios. Todo lo que pueda ayudar a aprovechar el tiempo es muy importante, siempre que no se haga con detrimento de la eficacia en el aprendizaje.

Qué usar

Si tomas notas en una clase, mejor es que tengas un cuaderno o block de buen tamaño, en lugar de una pequeña libreta o unas hojas sueltas de papel. Según tu gusto podrás escoger un cuaderno de espiral o una carpeta de anillas. Estas últimas presentan la facilidad de poder insertar, en su debido lugar, apuntes complementarios que hayas podido hacer en una ulterior ocasión.

Para escribir con rapidez, es mejor no usar un lápiz. Uno de los trucos de la escritura rápida consiste en escribir haciendo muy poca presión sobre el papel; y los lápices escriben muy débilmente si no se les aprieta lo suficiente. Lo mejor es usar una pluma o un bolígrafo. Un buen bolígrafo se desliza con mayor facilidad al escribir rápidamente. Ten a mano más de uno pues, a veces, fallan o se secan.

Aumentar la velocidad

La velocidad media de escritura de un adulto está entre 25 y 35 palabras (de cinco letras) por minuto. Con el debido entrenamiento (escribiendo por períodos de uno o dos minutos, para empezar) aumentarás considerablemente tu velocidad de escritura. Hay varias cosas que puedes hacer para conseguirlo:

1. Antes de empezar, siéntate cómodamente. Conserva tu espalda vertical, mientras te mantienes fuera de toda tensión.

2. Toma el bolígrafo suavemente. De esta forma escribirás con más rapidez, y tu mano no acabará sintiéndose rígida o dolorida.

3. Usa abreviaturas. Hay varias maneras de hacerlo, con tal de que, más tarde, seas capaz de descifrarlas:

- Suprimir las vocales. Es muy fácil acostumbrarse y no es nada difícil el descifrarlo más tarde. Por ejemplo: Cnd llg l trn, s bjn ls vjrs y sln d l stcn.
- Abreviar las palabras más corrientes:

info	–	información
(im)pos	–	(im)posible
selec	–	selección
fun	–	funcionamiento

Hay que evitar los equívocos, como 'dif' que puede significar 'diferencia' o 'dificultad', si bien lo aclarará el sentido de la frase. Lo mismo se diga de las abreviaturas: SP puede querer decir Servicio Público o Salida Provisional. El contexto nos dará la verdadera pista.

También hay algunos signos que pueden usarse para ahorrar palabras:

+ además de
– prescindiendo de
= de igual manera.

Cada cual puede ir hallando más abreviaturas para palabras que serán frecuentes dentro del tema que estudia. Por ejemplo, en el tema de la medicina natural, se podrían dar:

acu	–	acupuntura
hip	–	hipnoterapia
ref	–	reflexología
ter	–	terapia
terta	–	terapeuta

En clase

Comienza siempre tus apuntes escribiendo la fecha, el tema y el profesor/a que da la clase. Esto puede parecer una perogrullada, pero siempre confiamos demasiado en que vamos a comprender lo que hemos anotado, para llevarnos, luego, más de un chasco por no poder comprenderlo. Guarda también los papeles que, eventualmente, haya repartido el profesor, y archívalos junto a tus apuntes.

Para tomar notas útiles, tienes que escuchar lo que se dice y comprender su sentido y significado. Esto exige concentración, pues tienes que seguir el proceso y progresión de las ideas. Trata de entender lo que se dice, aunque no siempre estés de acuerdo con ello.

Si te has perdido algo, deja un espacio en blanco, en tus notas. No te apures cuando esto te ocurra. Al llegar el turno de preguntas, pide aclaraciones sobre ese punto. Y siempre te quedará el recurso de acudir a algún compañero/a de clase de cuya capacidad te puedas fiar.

Pasa a limpio tus notas, tan pronto como sea posible, después de la clase, mientras todo está aún fresco en tu memoria. La semana que viene no podrás recordarlo claramente, por mucho que te esfuerces (Aquí abajo, hablamos de pasar a limpio los apuntes).

Todo este proceso consistente en: (a) escuchar, (b) tomar apuntes y (c) pasar a limpio, ayuda, ya de por sí, al aprendizaje y a la memorización.

Pasar a limpio los apuntes

Ya hemos visto que el aprendizaje implica el ensamblaje de la nueva información con los conocimientos que ya se poseen. Si usas una carpeta de anillas con hojas perforadas, podrás ayudar a este proceso de ensamblaje, insertando cada grupo de notas junto a las anteriores que tengan que ver con el mismo tema.

Pero como no sabes (cuando estás pasando a limpio) si, más tarde, vas a encontrar más información o bibliografía para ampliar y profundizar tus conocimientos, es una buena idea el dejar algún margen a derecha e izquierda de tus apuntes, así como espacio suficiente entre las líneas. Las nuevas aportaciones de información se podrán añadir sin necesidad de enmarañar el escrito ni de tener que pasar nuevamente a limpio.

Crear mapas de ideas

Según avanzas, trata de crear algún mapa de ideas para que acompañen a tus apuntes en limpio. Te ayudarán a fijarte en los datos principales y a que tengas seguridad de que has comprendido bien lo que has oído o leído. Cuando llegue el momento del repaso, puede que esos mapas de ideas sean lo único que te haga falta. Aunque, en determinadas materias, también necesitarás el resto de tus apuntes.

Los mapas de ideas serán especialmente valiosos para los profesionales que no tienen mucho tiempo para revisar todos sus apuntes cada vez que quieran echar un vistazo a lo aprendido. Suponte que quieres redactar un informe y quieres tener seguridad de no omitir ningún punto importante. Tu lista de palabras clave podría ser ésta:

Contenido
Estructura
Lenguaje
Presentación

Entonces, el mapa de ideas sería algo así:

Aumentar Disminuir

Puntos fuertes Puntos débiles Programa Objetivos Causas Datos

Análisis Plan Coste Parte 1 Análisis

Interno Contenido Parte 2 Diagnosis

Estructura

Parte 3 Coste

Recomendaciones

INFORME

Presentación Lenguaje Frases cortas

Titulares

Párrafos Estadísticas Evitar jerga Ir al grano

Gráficos, tablas

Precisar

Cortos Numerados Resumir

Tomar nota detallada de las fuentes

Durante la clase o la conferencia te darán bibliografía sobre el tema en cuestión. No se te olvide anotar el título, el autor y la editorial. Quizá te venga bien, además, anotar el ISBN y, desde luego, los capítulos o páginas que te interesan.

Destacar los datos importantes

Al tomar notas para tu propio uso, no escribas grandes párrafos. Para eso ya está el libro. Tienes que buscar un sistema para saber destacar lo importante y redactarlo de una manera llamativa para ti. Estructura lo aprendido en títulos, subtítulos, secciones y subsecciones. Te damos aquí un ejemplo, pero tú muy bien puedes seguir otro método:

<u>TEMA</u> (en mayúsculas y subrayado). <u>Subtítulo</u> (subrayado)

1. <u>Primera sección</u> (numerada y subrayada)
   a) Primer dato
   b) Segundo dato
   c) Tercer dato

2. <u>Segunda sección</u>
   a) Primer dato
   b) Segundo dato
   ...etc., etc.

Seguir la estructura original

Lo más probable es que, tanto en la clase como en el libro que hayas leído, los conocimientos te hayan venido dados dentro de una determinada estructura. En tus apuntes debes seguir la misma estructura, fuera de las excepciones en las que ésta sea notablemente confusa. Te ayudará mucho a la hora del repaso.

Piensa en esa estructura antes de comenzar tus apuntes. Asegúrate de que no sólo conoces los datos, sino también sus causas y efectos. Pregúntate:

• ¿Cuál es el hecho?
• ¿Qué lo produjo?
• ¿Qué consecuencias tuvo - a corto y largo plazo?
• ¿Qué significado tienen estos hechos dentro del tema general?

Poner al día

Puede ocurrir que, en clases o estudios posteriores, hayas adquirido información adicional. Trata entonces de situar tus notas en el lugar apropiado, de forma que sirvan para aumentar los conocimientos que ya posees sobre el tema. También será el momento de ampliar los mapas de ideas que tengas realizados sobre el particular, incorporando nuevas secuencias a las ya existentes.

Si hallares que algunos pasajes de tus notas son un tanto confusos, merecerá la pena aclararlos y ponerlos en limpio, si fuere necesario. La revisión constante forma parte del proceso de aprendizaje, y el poner al día te hace repasar esa sección del tema.

Importancia de poner al día los apuntes

• Te hace comprobar si has entendido lo que has oído o leído y si eres capaz de expresarlo con tus propias palabras.
• Descubrirás, a tiempo, si no te has aclarado en algún punto determinado.
• El hecho de anotar las cosas (sobre todo en forma de títulos, subtítulos, etc.) te ayuda a grabar los principales puntos en tu memoria.
• Tus notas constituirán la base de tu repaso y de los ensayos o tesinas que tengas que redactar.

Escribir ensayos

Aunque lo que aquí vamos a decir se aplica a los que han de escribir algún ensayo, casi todo ello se podrá también aplicar a informes, tesinas y a cualquier tipo de redacción formal.

¿Por qué escribir un ensayo?

A veces te será obligatorio: como final de un cursillo o como respuesta a una pregunta de un examen escrito. Tiene también otras ventajas:

- El mismo hecho de escribir lo que ya has aprendido, ayuda a que retengas lo estudiado. Recuerda que, cuando has escrito la lista de la compra o los datos de una ruta, se te quedan ya en la mente, y apenas tienes que recurrir al papel que has escrito.
- Un ensayo supone que has recogido y relacionado los datos; al escribirlo usando tus propias palabras, te probará (a ti y a los demás) que has comprendido de veras lo que estabas estudiando.
- El buscar información adicional, al preparar la redacción de un ensayo, ya es, en sí, importante en cualquier proceso de aprendizaje. Te obliga a pensar sobre el tema y a usar tus líneas de razonamiento con el fin de organizar tus ideas. Sea el tema que sea, habrás profundizado más en él y habrás acabado sabiendo más.

Antes de empezar

Escribirlo en un papel es sólo parte del proceso de redacción de un ensayo. Hay, además, otros aspectos que habrás de tener en cuenta:

Cortapisas y restricciones

Fuera de la correspondencia personal, la mayor parte de los escritos suelen estar sometidos a diversas restricciones. Los autores de libros y artículos suelen saber de antemano la longitud que el editor les exige para los mismos. Si escribes un ensayo, como parte de un examen, tendrás que calcular su longitud, a fin de que quede lo más completo posible dentro del tiempo limitado que te dan para ello. Si forma parte de un fin de curso, quizá no sea lo único que tengas que hacer y, no quiero decirte que lo acortes, pero tendrás que dejar tiempo también para otros estudios. Si lo haces para leerlo en una conferencia, también allí tendrás tu tiempo limitado. Y, como resulta muy difícil practicar cortes después de haberlo redactado completamente, piensa en ello antes de empezar a redactarlo.

El título

El título es algo que hay que escoger muy cuidadosamente, pues ha de indicar, con toda precisión, el contenido, y demostrará que has comprendido lo que has estudiado. No es probable que te pidan que escribas un tratado enciclopédico sobre un tema, sino sobre algún aspecto del mismo. Si, al escribir un ensayo, cubres un aspecto diferente al propuesto, entonces, por muy brillante que sea tu escrito, no habrás cumplido lo requerido y perderás calificaciones. De igual manera, si te han pedido un informe empresarial, y no cubres, exactamente, el campo requerido, no conseguirás satisfacer a tu potencial cliente. Emplea tiempo en estudiar el título. ¿Qué dice exactamente? Examina cada palabra y subraya o cambia, para que se adapten exactamente al contenido.

Para los estudiantes que aspiran a calificaciones profesionales en todos los niveles, existen determinadas palabras que se emplean normalmente en los titulares de los ensayos, tanto en los exámenes escritos como en los trabajos especiales. Cada una de estas palabras tiene un significado específico que detallaremos a continuación.

Palabra indicada	*Qué se requiere*
Descripción	Cualquier descripción, tanto verbal como escrita, habrá de incorporar, según el caso, diagramas, ilustraciones, etc.
Discusión	Presentar los diversos puntos de vista sobre un tema, tanto a favor como en contra. Puede que no siempre se te exija tu propia opinión.
Comparación	Mostrar las semejanzas entre los temas.
Contraste	Mostrar las diferencias entre los temas.
Describir	Aportar detalles de los puntos principales.

Palabra indicada	*Qué se requiere*
Explicar	Dar explicación detallada de procederes o funcionamientos.
Criticar	Evaluar y juzgar. Aportar siempre tus razones. (En toda crítica, puedes tener una visión positiva o negativa).

También es muy de tener en cuenta, en el caso de que te hayan pedido que escribas: 'brevemente', 'concisamente', 'al detalle' o a partir de un determinado punto de vista. Mucho cuidado con realizar algo distinto de lo que se te haya pedido.

Recoger información

Es algo esencial en la preparación de cualquier ensayo y, además, algo muy útil para tu propio repaso de la materia. Revisa todos tus apuntes y tus mapas de ideas, pues estos últimos te indicarán el nexo entre las diferentes ideas. Dedica tiempo a buscar material adicional, tomando nota bibliográfica de libros, artículos, etc. Según te vayan viniendo las ideas, anótalas; tiempo habrá después para que las pongas en orden. (No es mala idea el anotar estas ideas en papeletas separadas. Más tarde, cuando te pongas a redactar el escrito, podrás barajarlas hasta encontrar una secuencia que sea de tu gusto).

Una vez adquirida la información suficiente, habrás de diseñar un plan detallado. Tratar de trabajar sobre una mesa cubierta de libros abiertos y apuntes desordenados en diversos papeles por todas partes, ¡no te ayudará a pensar con claridad!

Hacer un plan

Un escrito bien construido consiste en: Introducción, Cuerpo principal y Conclusión. Ten esto en cuenta al hacer tu plan. Quizá te ayude el bosquejar un mapa de ideas para estar cierto de que cubres todos los puntos principales y los relacionas, entre ellos, debidamente. Al hacer la planificación de tu escrito, emplea títulos, subtítulos, comienzos numerados de párrafos, etc., para aclarar la concatenación de tu pensamiento. (Conserva estas notas y los mapas de ideas aun después de haber terminado tu escrito; te servirán para darle un definitivo repaso y como base para un trabajo posterior).

Ten siempre muy en cuenta el título de tu trabajo y ordena tus notas de forma que respondan al mismo. No olvides que tu trabajo ha de tener un hilo conductor, para lo cual ha de haber siempre una conexión entre un párrafo y el anterior. Esto le demostrará al lector que tu pensamiento tiene una sucesión lógica.

La introducción

La introducción puede consistir en un único párrafo; su objetivo es demostrar que has comprendido perfectamente el título que te han propuesto, indicar el enfoque que pretendes y las conclusiones a las que quieres llegar. Todo ello ayudará al lector a darse cuenta de la dirección a la que le llevas.

El cuerpo principal

Una vez que has decidido la secuencia lógica de los puntos que vas a tratar, mantente fielmente en esa línea. Es muy fácil divagar y salirse por la tangente (por eso hemos insistido en que organices bien tus ideas antes de empezar).

Busca siempre la objetividad en tu escrito, expresando tus ideas con la mayor claridad dentro de la secuencia que a ti te parezca más lógica. Escoge las palabras con las que manifiestas más claramente tu pensamiento al lector. Recuerda que tus frases han de ser concisas.

Siempre que sea posible prueba lo que dices con los argumentos precisos que hayas recogido. Frases como 'es comúnmente conocido que...', son demasiado imprecisas. El lector quiere saber por quién, dónde y cuándo. Los argumentos de autoridad son muy buenos para ampliar los límites de tus conocimientos, pero no aduzcas demasiadas citas, palabra por palabra, de los trabajos de otras personas. Sonaría a plagio y no acabaría de demostrar que tú tienes tus propias convicciones en la materia.

Una tesis o un ensayo es un test para ver si has comprendido el tema que has estudiado; trata, pues, de hacer uso de cuanto has aprendido durante el curso. También te ayudará para indicarte los vacíos que existan en tu co nocimiento, lo que te será muy útil para el momento de hacer tu repaso de la materia.

A fin de no perder tiempo ni esfuerzo y asegurarte de que estás respondiendo a lo que se te pide, vuelve a mirar al título con frecuencia, comprobando que lo que escribes responde exactamente al mismo.

Lo mismo vale cuado hagas un informe o prepares una propuesta. Sería una lástima haberte esforzado en vano preparando un trabajo, si luego te lo devuelven como 'inapropiado' o, lo que sería peor, si con ello has perdido un cliente que acudirá a otro lugar en demanda de servicios.

El lenguaje

Emplea el lenguaje apropiado para el trabajo que estás realizando. Naturalmente, habrá ocasiones en las que el tema exija un lenguaje técnico pero, lo más aconsejable es que tu lenguaje sea lo más sencillo posible. Aunque también ocurre que hay palabras y frases, aceptables en el lenguaje oral, que no son apropiadas para el lenguaje escrito.

Gramática, puntuación y ortografía

Se ha dado, en algunos medios, una moda pasajera de no dar demasiada importancia a la gramática y ortografía. Afortunadamente, hoy los educadores no aceptan esa moda. En realidad, a la mayor parte de los lectores serios les disgustan las faltas de corrección en el lenguaje y minusvalorarán todo escrito que no sea escrupuloso en este sentido. En caso de que dudes acerca de algunas palabras o frases, ten a mano gramática y diccionario, donde podrás consultar y asegurarte de tu correcta gramática, puntuación y ortografía

Legibilidad

Los mejores ensayos suelen ser muy fácilmente legibles, y también los mejores reportajes. La legibilidad no sólo está en la claridad del manuscrito o en la limpieza de la impresión tipográfica o en un texto que tenga muy pocas erratas, aunque todo esto sea muy importante. También son importantes el lenguaje y el estilo. Si quieres que el lector entienda bien lo que le quieres decir, no uses palabras difíciles ni frases complicadas. Hasta tu propio repaso se hará más dificultoso en el momento en que, precisamente, desearías que todo estuviese más claro.

A veces, poner un ejemplo resulta mucho más eficaz que grandes párrafos de elucubración teórica. Los ejemplos pueden ser verdaderos o ficticios; para los últimos siempre puedes utilizar un: 'Suponte que...'

Lo que tienes que evitar a toda costa es un estilo de discurso político. Y suprime todas las palabras innecesarias. Por ejemplo:

'muy cierto' – cierto
'lo más pronto que te sea posible – cuanto antes
'en las actuales circunstancias' – ahora
'podría suceder que' – quizá

Poner señales en el camino

Al preparar tu escrito has colocado tus ideas en un orden que a ti te parecía lógico. Pero, lo que a uno le parece lógico, según su experiencia, cuenta y razón, a otro puede parecerle no tan lógico. Trata, pues, de poner señales (con letras o números) para indicar por dónde van tus ideas y para que puedas referirte a ellas en el transcurso de tu exposición. Puede resultar muy orientador cuando digas: "Suponiendo lo dicho en A y en B, no nos puede extrañar que lleguemos a la situación X o a la Z..."

La conclusión

La conclusión tiene que referirse al título e indicar que todo lo escrito explica o responde a lo planteado. Por ejemplo, si te han pedido que discutas un punto, sin pretender llegar a una posición definitiva, tu conclusión ha de reflejar que, simplemente, has expuesto los diferentes puntos de vista.

El primer borrador

En un examen no podrás hacer un borrador, pero en todas las otras circunstancias (ensayo, artículo, tesis, informe, etc.) es recomendable que hagas un borrador. Te parecerá que es un trabajo extra e inútil, pero te aseguro que no es así. Tiene muchas ventajas:

- Al escribir el primer borrador, puedes permitir que las palabras te salgan con naturalidad, sin preocuparte de que has repetido una palabra o de que has vuelto a decir algo que ya tenías expresado.
- Si el escrito forma parte de la materia de todo un curso, cada vez que escribas algo se grabará la información en tu mente, ayudando a tu aprendizaje.
- Al leer esa primera redacción tuya (mejor en voz alta), advertirás las frases incorrectas o ambiguas. Es muy importante cuando escribes para una conferencia. Mientras vas leyendo, vete preguntándote lo siguiente:

1. ¿Tiene sentido? (Lo mismo cada frase que todo el escrito).
2. ¿He hecho lo que tenía que hacer (respuesta, discusión, evaluación, lo que sea)?
3. ¿Hay una línea lógica de pensamiento a través de todo mi escrito? ¿Aparece clara?
4. ¿He incluido información que me pueda respaldar? (fruto de mi investigación); ¿He indicado las fuentes de esta información?
5. ¿Tiene que ver todo lo que he escrito con aquello que se me ha pedido?
6. ¿Se nota que he entendido lo que he estudiado durante el curso?
7. ¿Es mi estilo lo suficientemente claro para que me siga el lector?

La copia definitiva

Esta es la versión corregida del borrador. Ahora es tiempo de sintetizar las frases y de eliminar todo lo que sobre. Es también el momento de hacerlo más legible y de que tu trabajo aparezca en todo su valor.

Valor del ensayo como evaluación continua

1. Para probar al profesor que vas aprovechando el curso.
2. Para demostrar que eres capaz de recoger y aplicar información a partir de diferentes fuentes.
3. Para indicar que sabes analizar una situación, ya sea desde uno o varios puntos de vista.

Valor de una una propuesta empresarial

1. Para probar que te has hecho cargo de las necesidades del cliente.
2. Para demostrar que tú eres la persona indicada para satisfacerlas.
3. Para explicar cuál sería tu actuación en tal caso.
4. Para proponer tus condiciones (retribución, etc.)

Valor de un informe empresarial

1. Para demostrar que conoces la presente situación.
2. Para explicar sus puntos fuertes y débiles.
3. Para ofrecer propuestas que promocionen los primeros y eliminen los segundos.
4. Para presentar un plan y un programa, incluyendo costes y beneficios.
5. Para llegar a determinadas conclusiones y recomendaciones.

9

Trabajar con números

¿Para qué preocuparse de los números en nuestra vida cotidiana? estarás pensando. Después de todo, es tan sencillo llevar una calculadora en el bolsillo... Es cierto que, en la mayoría de los casos, es posible usar una calculadora, pero también es cierto que la mejor manera de desarrollar y usar tu mente es conseguir el equilibrio entre la parte izquierda y la derecha de tu cerebro. Los sencillos ejercicios y teorías descritos en este capítulo te van a ayudar a ello.

Como tantas otras personas, es posible que seas de los que 'no valen' para números o de quienes piensan que las matemáticas y el cálculo están fuera de sus posibilidades. Pero lo cierto es que tenemos que manejar números todos los días, y lo hacemos sin darnos cuenta de ello. Por ejemplo:

- *En la cocina:* Cualquiera que consulte un libro de recetas se encontrará con cantidades de ingredientes significadas por números. Enseguida te das cuenta de que 100 g. de harina no es mucho, mientras litro y medio de leche puede ser demasiado. Y esto, antes de que te pongas a pesar o medir.
- *En la dieta:* Si oyes que alguien que mide 1.60 m. de altura pesa 80 kilos, sabes que pesa demasiado. Y que alguien

que mide 1.90 m. con sólo 65 kilos de peso, mejor sería que engordara un poco.

- *En el tenis:* Cuando ves un buen campeonato de tenis, por televisión, sabes lo que significa que, en un momento del juego, estén 30-0, 40-15, etc.
- *Al salir de casa:* Si acabas de oír por la radio, que la temperatura exterior es de -5º, te convendrá ponerte ropa de abrigo cuando salgas a la calle.
- *En el jardín:* Si el parte metereológico anuncia temperaturas inferiores a los 0º, convendrá que protejas tus plantas de la helada nocturna que se avecina.

Total, que estás manejando cifras todo el tiempo. Estamos tan acostumbrados a ello, que ni nos damos cuenta.

Aun cuando estés de acuerdo con que manejas números constantemente, puede que no te encuentres a gusto con las estadísticas. A pesar de todo, acabamos acostumbrándonos a interpretar gráficos y diagramas, pues aparecen constantemente, en la prensa y en la televisión, como ilustración de muchos temas. Toma, por ejemplo, el sencillo gráfico que incluimos a continuación, y que muestra la lluvia caída, a través del año, en una región determinada. No necesitarás mucho tiempo para analizar el gráfico; una simple mirada será suficiente para que te enteres de que llovió mucho en Octubre y muy poco en Julio y en Agosto.

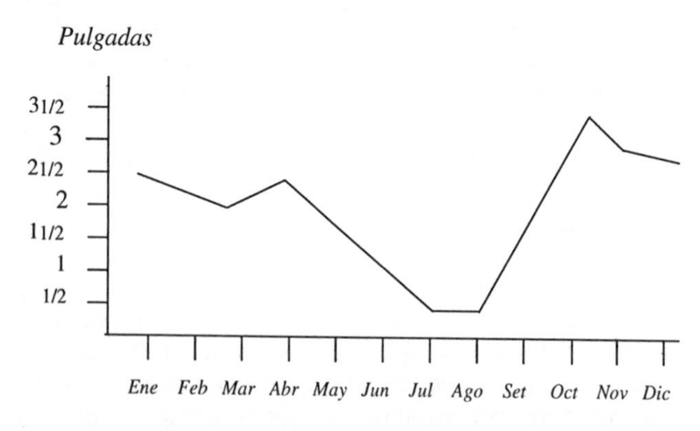

Me dirás que todos estos ejemplos están muy bien, pero que no tienen mucho que ver con el cálculo. Entonces, piensa en lo que sigue:

Te han dicho que vas a conseguir un aumento de paga del 10 por ciento. ¿Quieres decirme que no eres capaz de calcular cuánto es? Y aun cuando sea algo más complicado, por ejemplo: el 6,5 por ciento, tú sabes que esto es algo más que la mitad del 10 por ciento, y puedes hacerte una idea de si el aumento es importante o no es para tanto.

Cada vez que tomas una cucharada de sopa estás realizando varios cálculos. Tu cerebro mide la distancia que la cuchara tiene que recorrer desde el plato a la boca, la cantidad de líquido que tiene que haber en la cuchara, incluso la cantidad de energía que se requiere para levantar y bajar tu brazo en los momentos requeridos.

En un partido de fútbol, el guardameta se lanza para detener un balón. Apenas tiene tiempo para pensarlo, pero su cerebro calcula las distancias, la altura y dirección en que viene el balón, el salto y la posición de sus manos para que el balón no se le escape.

Incluso algo tan sencillo como bajar de un autobús exige cálculos, si no quieres caerte de bruces. Tu cerebro calcula automáticamente la distancia entre el escalón y el suelo, y la energía precisa para poner en funcionamiento tus piernas de modo que te poses con toda seguridad sobre el suelo.

Y volviendo a los números, la práctica, ciertamente, ayuda muchísimo. Me dijo una vez un contable, que era capaz de leer páginas de cuentas, como si de una biografía se tratara; le bastaba con hojear las páginas de los libros de cuentas de un cliente, para darse cuenta de si su negocio marchaba bien o mal. Por otra parte, cualquiera que viaje frecuentemente en tren, es capaz de leer una guía de ferrocarriles, para darse enseguida cuenta de las conexiones y horarios que le convienen.

Todo es cuestión de costumbre y práctica. Si tomas en tus manos un libro de bolsillo, sabes automáticamente, que la página 283 estará hacia el final del mismo. Sabes también calcular los espacios de tiempo; si son las nueve de la mañana y no vas a comer hasta las dos y media, lo más probable es que decidas tomarte un tentempié a media mañana.

La habilidad con los números no es algo que se tiene por naturaleza. Aunque sí hay algunas personas que gozan de una predisposición natural. La habilidad para tener un dominio básico de los números es algo que hay que adquirirlo. Hay números que usamos constantemente, con toda normalidad, pero hay otros ante los que nos sentimos totalmente confusos. De lo que se trata, pues, es de conseguir que los números se nos hagan más y más familiares; y eso sólo se consigue con la práctica.

Si quieres avanzar en este terreno, la próxima vez que leas un libro o un artículo en el que aparezcan cifras o gráficos con las mismas, detente y no pases a la siguiente página de texto. Piensa en los números y en lo que te dicen. Al principio te costará, pero cada vez se te hará más fácil.

El objetivo de este capítulo no es hacer de ti un matemático/a brillante (yo misma no soy ninguna especialista en este tema), sino ayudarte a que te sientas a gusto con los números, de manera que no te asusten. Puesto que los números juegan un papel tan importante en nuestras vidas, hemos de ser capaces de enfrentarnos con ellos y entender su significado. Esto es mucho más fácil de lo que la gente, a primera vista, cree.

Porcentajes, fracciones, decimales

Como no tengas que realizar un cálculo preciso, no siempre se necesita ser capaz de trasladar las cantidades porcentuales a fracciones o decimales (o al revés). Pero sí puede ser útil tener una idea de todo ello. Los siguientes ejemplos te pueden ayudar:

10% = 1/10 = 0,1
25% = 1/4 = 0,25
50% = 1/2 = 0,5
75% = 3/4 = 0,75

Ahora bien, si te dicen que la cantidad es el 16%, sabrás enseguida que está más cerca de 1/10 que de 1/4. Y si te dicen que la cantidad es el 80%, sabes que es más que 3/4 (más que el 75%).

Cálculo

Hay muchos que no se sienten a disgusto con los números, pero sienten un horror instintivo al cálculo. Quizá sepan que 8 x 12 es igual a 96, pero ¿qué me dice usted de esos terribles problemas con dos trenes que viajan a diferentes velocidades en dirección opuesta? Pues te diré que, una vez que caes en la cuenta de la lógica del problema, la mayor parte del mismo se reduce a las cuatro cuentas: sumar, restar, multiplicar y dividir.

El creciente número de calculadoras puede tener sus ventajas, pero también presenta sus inconvenientes. Al ser usadas desde los primeros años de la infancia, nos arrebatan la familiaridad con los números, que sólo se adquiere a través de una repetida práctica. Hay cada vez más jóvenes que terminan su vida escolar sin saber realizar las cuatro cuentas.

No hace mucho me hallaba en unos grandes almacenes realizando una compra de diez unidades al precio de 2.75 libras por unidad. Tú y yo sabemos muy bien que, para multiplicar por diez, nos basta mover el punto decimal y poner un cero a la derecha, es decir: 27.50. Pero la cajista que me atendía no lo sabía. Tecleó la cifra 2.75 diez veces seguidas (según creyó ella), se volvió a mí y me dijo que el total era 30.25. No le pasó por la cabeza que esta cifra era imposible, y que lo que había hecho es teclear once veces en lugar de diez. Siempre había usado sistemas mecánicos para sumar y ya no tenía apenas idea de lo que significaban los números.

Tablas de aprendizaje

También éstas se han puesto y se han dejado de poner de moda, dependiendo de la filosofía pedagógica del momento.Lo que no se puede negar es que, si te las sabes, se te hace mucho más fácil el manejarte con los números. Puede resultar muy pesado el aprenderlas de memoria: "cuatro por uno es cuatro, cuatro por dos, ocho..." La solución siempre ha sido el cantarlas. Algo que, también ahora, se les enseña en muchos sitios, a los niños. Incluso existen casetes grabadas para este propósito. Lo cierto es que muy pocos de nosotros, niños, adultos o ancianos, olvidamos las palabras de una canción bien aprendida.

Las cuatro cuentas

Para la mayor parte de nosotros, que no vamos a dedicarnos a las matemáticas superiores o al cálculo diferencial, lo esencial es incrementar nuestra familiaridad y destreza con la suma, resta, multiplicación y división. Y, en cada una de estas áreas, es posible aprender métodos más rápidos y más sencillos de los que, probablemente, nos hayan enseñado en el colegio.

Suma

Suponte que te dicen que sumes 98 y 97 (sin papel y lápiz). Quizá te han enseñado a decir: "7 y 8, 15; y llevo una...", etc. Pero te va a resultar mucho más fácil si conviertes esos dos números poco familiares (98 y 97), en dos más familiares y fáciles (100 y 100). Sabes que 98 es 2 menos que 100, y 97 tres menos que 100. Y sabes también que 2 + 3 = 5. Todo lo que tienes que hacer es: 2 x 100 = 200; 200 – 5 = 195.

Otro sistema es utilizar el hecho de que es mucho más fácil trabajar con módulos de 10, que con unidades de otras cifras. Si te dan, por tanto, una columna de cifras pare sumar, mira a ver cuántos grupos de diez puedes hacer. Suponte que tienes:

9
3
6
2
7
8
4
1
5
———

Busca los pares de cifras que sumen 10 (poniendo una marca junto a ellas, para no tomarlas dos veces). Esto te dará:

$$
\begin{array}{r}
9 + 1 = 10 \\
3 + 7 = 10 \\
6 + 4 = 10 \\
2 + 8 = 10 \\
+ 5 = 5 \\
\hline
\text{total } 45
\end{array}
$$

Y lo mismo se aplica si tienes una doble columna de cifras:

$$
\begin{array}{r}
76 \\
42 \\
31 \\
89 \\
54 \\
41 \\
63 \\
28 \\
\hline
\end{array}
$$

Suma la columna de la derecha y, con el método de antes, tienes:

$$
\begin{array}{r}
6 + 4 = 10 \\
2 + 8 = 10 \\
1 + 9 = 10 \\
3 + 1 = 4 \\
\hline
\text{total } 34
\end{array}
$$

Después, llevas el 3 a la columna de la izquierda y repites el proceso:

$$
\begin{array}{r}
7 + 3 = 10 \\
4 + 6 = 10 \\
8 + 2 = 10 \\
4 + 5 = 9 \\
+ 3 = 3 \\
\hline
\text{total } 42
\end{array}
$$

Tu respuesta final es: 424. Y no has tenido que romperte la cabeza.

Una vez que te acostumbras a usar este método para sumar una columna de cifras (no importa lo larga que sea ni el número de cifras que contenga), verás que te ahorra muchísimo tiempo. Quizá lo más importante de todo ello sea, que te da seguridad de que lo estás haciendo correctamente y sin equivocarte, ahorrándote el trabajo de tener que volver a sumar varias veces la misma columna para convencerte de que no has cometido ningún error.

No sé si te habrá divertido esta experiencia ni si te habrá parecido fácil o difícil. Por si acaso, te voy a proponer otro sistema: Casi seguro que, en tu niñez o juventud te habrás aprendido la tabla de multiplicar. Pues bien, puedes hacer uso de ella para sumar una larga columna de cifras. Observa qué cifras se repiten más de una vez y multiplícalas, acortando así la columna y evitando errores. Por ejemplo:

5
9
4
3
2
7
9
4
1
5
6
9
2
———

viene a ser:

2 x 5	10
3 x 9	27
2 x 4	8
2 x 2	4
3 + 7	10
1 + 6	7
	———
	66

Resta

Suponte que quieres restar cualquier número, de otro que termina en cero; por ejemplo, 10, 100, 1000, 10000, 100000. La manera clásica de hacer esta resta requiriría papel, lápiz y un largo proceso de 'restar' y 'llevar' cifras. Aquí te indicamos un método mucho más simple y que puedes realizarlo fácilmente y sin recurrir al papel. Otra de las razones de su sencillez es que te hace trabajar de izquierda a derecha (como solemos leer), y no en dirección contraria.

Vamos a suponer que la resta es: 10.000 - 7.146.

A 10.000 le quitas 1; a saber: 9.999; y tu número lo restas de éste último. Y luego le vuelves a añadir el 1 al total:

$$\begin{array}{r} 9\,9\,9\,9 \\ -7\,1\,4\,6 \\ \hline 2\,8\,5\,3+1 \end{array}$$

Tu respuesta es: 2854.

Puesto que todas las cifras de la línea de arriba son 9, y ninguna en la línea de abajo puede ser mayor que 9, ya no tienes que hacer la operación de 'llevar' la decena a la columna de la izquierda.

Claro que las cifras no serán siempre tan sencillas. Algunas cifras del 'sustraendo' pueden ser mayores que las correspondientes del 'minuendo'. Pues tampoco entonces habrá que recurrir a la operación de 'llevar'. Lo importante es que resulta mucho más fácil trabajar de izquierda a derecha, y vamos a hallar la manera de hacerlo.

Supongamos que la operación es: 8392 - 5516. Hay que tener en cuenta dos cosas:

- cuando la cifra de arriba es menor que la de abajo, añadirle 10
- añadir 1 a la cifra de abajo que viene a su izquierda. Veamos:

$$\begin{array}{rcr} 8\,3\,9\,2 & \text{se convierte en} & 8\;13\;9\;12 \\ -5\,5\,1\,6 & & 6\;\;5\,2\;\;6 \\ \hline \end{array}$$

Ahora es fácil leer la respuesta de izquierda a derecha: 2876.

Multiplicación

Todos sabemos lo sencillo que es multiplicar por 10. Basta poner un 0 a la derecha. Para multiplicar por 100 añades dos ceros, para multiplicar por mil, añades tres ceros y así sucesivamente.

Para multiplicar por 5: multiplicar por 10 y dividir por 2.
p. ej.: 76391 x 5 = 763910 / 2 = 381955

Para multiplicar por 50: multiplicar por 100 y dividir por 2.
p. ej.: 46139 x 50 = 4613900 / 2 = 2306950

Para multiplicar por 500: multiplicar por 1000 y dividir por 2.
p. ej.: 294761 x 500 = 294761000 / 2 = 147380500

La otra multiplicación simple es por 11. Sabes muy bien cómo se multiplica por 11 cualquier cifra menor que 10. Simplemente, se repite la cifra. Por ejemplo: 7 x 11 = 77; y 9 x 11 = 99.

Si te enfrentas con un número de dos cifras, es igual de simple. Sumas las dos cifras e insertas el resultado entre las mismas.

p. ej.: 54 x 11 = 594 62 x 11 = 682

Si esas dos cifras suman más de 10, añade el 1 a la cifra de la izquierda.

p. ej.: 39 x 11 = 429 47 x 11 = 517.

División

Si es fácil multiplicar por 5, 50, 500, etc. también lo es dividir por esos números. Una vez más, usa el sistema de dividir por 10, 100, 1000.

Para dividir por 5: divide por 10 y duplica el resultado.
p. ej.: 976 / 5 = 97.6 x 2 = 195.2.

Para dividir por 50: divide por 100 y duplica el resultado.
p. ej.: 3178 / 50 = 31.78 x 2 = 63.56

Para dividir por 500: divide por 1000 y duplica el resultado.
p. ej.: 427631 / 500 = 427.631 x 2 = 855.262.

Dividir por 2 es sencillo cuando te dan números como 18, 46 o 24. Cuando el número es muy grande, divídelo en segmentos que sean divisibles por 2.
p. ej.: 46327082324 viene a ser: 4 6 32 70 8 2 32 4. Esto se divide sencilla y rápidamente resultando: 2 3 16 35 4 1 16 2. Lo que nos da: 23163541162. Si la última cifra del número original es impar, tendrás que acabar con .5

Recordar números

Muchas personas experimentan gran dificultad para recordar números, como no sean unos pocos que les son de gran importancia. Puesto que los números tienen poco significado para nuestra imaginación, el truco está en trasladarlos a algo que tenga más significado: las palabras.

Está también comprobado que recordamos con más facilidad algo que sea extraño, incluso ridículo. Vamos, pues, a entrar en este juego, empleando un método práctico para recordar números.

Supongamos que se trata de recordar números de teléfono. Lo primero que hemos de hacer es recordar el código siguiente:

1 ABC
2 DEF
3 GHI
4 JK
5 LM
6 NÑ
7 OP
8 QRS
9 TUV
0 XYZ

(No necesitas aprender este código de memoria, porque lo puedes escribir siempre que quieras. Recuerda que los tres primeros números y los tres últimos representan a tres letras del alfabeto, mientras que el resto representan sólo a dos. Advierte, también que hemos suprimido las letras dobles [CH y LL]).

Por de pronto se pueden usar estas letras como iniciales de palabras con las que hacer una frase que no importa que tenga mucho sentido. Ya hemos dicho que lo extraño se recuerda mejor.

Por ejemplo: el número 423 57 44, podría dar lugar a esta frase: "Juego De Ganar Mucho, Pepe Juega Jubiloso". Supongamos también que queremos recordar el teléfono de una empresa cuyo número es: 447 03 58; podríamos crear esta frase: "Juan José Preguntó, Y Hoy Mensajero Responde".

De la misma manera, podría servirnos este código para recordar matrículas de coches, números de carnet de identidad, etc. etc.

Si no te hace mucha gracia todo este juego, siempre podrás recurrir a escribir los números en papeles o libretas que tendrás que llevar siempre contigo. ¡Resultará mucho menos divertido!

Si eres una de esas personas a las que les aterran los números y los cálculos, lo mejor será que lo tomes con un poco de humor. Cuando empieces a verlos como fuente de entretenimiento, irás perdiendo tus antiguas aprensiones y crecerá tu confianza en el trato con las cifras.

Hay un juego sencillo que puedes jugar individualmente o con otra persona, para incrementar tu facilidad con los números. Una persona escribe cinco números del 1 al 10 y un número entre 10 y 100. La otra persona escribe un número entre 101 y 999. El objetivo es sumar, restar, multiplicar o dividir entre los números menores para tener como resultado el número mayor. No es tan difícil conseguirlo o, por lo menos, acertar con una cifra muy cercana. Así como los que resuelven crucigramas acaban familiarizándose con muchas palabras, así también, los que juegan con números acaban familiarizándose con ellos.

10

El resultado final

El resultado final de poner en práctica las técnicas dependerá, por supuesto, de tus intenciones y objetivos. Este capítulo está dividido en las siguientes secciones: sufrir exámenes, pronunciar discursos y presentaciones, y usar un lenguaje distinto al tuyo.

Sufrir exámenes

Los consejos de esta sección irán dirigidos a los que tengan que sufrir exámenes profesionales, a los estudiantes de colegios o universidades; y también valdrán para los que estudian por el placer de estudiar y adquirir nuevos conocimientos.

Repaso y preparación

Si has seguido las sugerencias que te proponíamos en este libro, ya has estado repasando constantemente. Cada vez que te has puesto a hacer apuntes, a crear mapas de ideas o a trasladar información a tu memoria a largo plazo, has estado repasando. Las sugerencias de repaso que vienen a continuación, se refieren específicamente a la preparación de los exámenes mismos, y las comprenderás fácilmente, pues ya has estado realizando gran parte del trabajo fundamental para este repaso.

- No dejes este repaso intenso para el último momento, pues entonces comenzarás a sentir pánico. Fuera del hecho de que este pánico te va a hacer casi imposible la relajación, la tensión producida por la ansiedad reducirá tu capacidad de pensar con claridad. Total, que no sólo tendrás menos tiempo para trabajar, sino que, el poco tiempo que tengas no lo podrás aprovechar eficientemente.
- Asegúrate de que sabes perfectamente qué campo de conocimientos necesitas para presentarte a ese examen. Habla con tu tutor o profesor para que te confirmen acerca de qué es lo que se te exige en el programa de cada asignatura que estás estudiando. Cada examen contiene cierto número de secciones absolutamente obligatorias y, naturalmente, éstas habrán de tener prioridad a la hora de programar tu tiempo de repaso.
- Hazte un plan y calendario de repaso. Te llevará tiempo y trabajo, pero no es tiempo perdido. Hará que tengas la oportunidad de dedicar el trabajo suficiente a cada tema. Para hacer un buen calendario-horario de repaso:

1. Mira cuánto tiempo tienes antes del examen y divide este tiempo entre las asignaturas que estás estudiando.
2. Ya hemos visto cómo recuerdas mejor lo que has estudiado al comienzo y al fin de cada sesión de estudio, por lo que habrás de dividir tu tiempo en varios períodos cortos de estudio, en lugar de realizarlo en períodos largos.
3. Nunca planifiques emplear un día entero en una sola asignatura. Aunque ella te resulte de tu gusto, tu mente acabará hastiada y dejará de estar lo suficientemente alerta para retener lo que lees. Esto haría que tuvieras que volver a repasar esa parte de la asignatura en una fecha posterior.
4. Emplea el primer período de repaso de cada día estudiando algo que te guste, pues de otra manera te será más difícil sumergirte en el estudio. Es notable lo atractivas que nos pueden parecer algunas tareas domésticas como sacar al perro o hacer el café, cuando no nos gusta la primera parte del trabajo que nos espera

5. Como no tienes naturaleza sobrehumana, no te olvides de hacer sitio, en tu planificación, a las comidas, ejercicios físicos y tiempos de descanso. Lejos de derrochar tu precioso tiempo, estas interrupciones harán que puedas trabajar con más rapidez y efectividad.

- Comienza cada día haciendo una lista de los puntos que quieres cubrir en cada asignatura. Es enormemente satisfactorio y produce un sentimiento de realización el poder ir tachándolos uno por uno.
- Usa todos los métodos ya propuestos en este libro y que van más allá de un simple leer libros de texto y apuntes. Diseña mapas de ideas que acostumbren a tu mente a establecer relaciones entre las diversas piezas de información que has acumulado. Dibuja gráficos y diagramas con el fin de clarificar tus ideas. Utiliza técnicas de visualización que te sumerjan en un tema, en lugar de quedar al margen como alguien que lo observara todo desde fuera.
- También puede ser provechosa la discusión con otros condiscípulos. No sólo servirá como test de tus conocimientos, sino que hará que mires un tema desde otros puntos de vista y otros enfoques. El barajar las ideas suele sacar a la luz algún aspecto o información previamente desconocidos para ti.
- Si la tienes a mano, utiliza una grabadora. Graba una cinta con la información más importante y escúchala en cualquier oportunidad (cuando te aseas, cuando conduces el coche o cuando realizas algún quehacer doméstico). Aunque creas que no estás atendiendo a lo que oyes, tu subconsciente sí que lo oye y lo recibe. Piensa en cómo se te pega la letra y la música de una canción, si las has oído varias veces, aunque no te hayas puesto a memorizarlas. Esta técnica es, particularmente efectiva, para aprender vocabulario, fechas y fórmulas.
- Trata de obtener algunos de los cuestionarios de examen propuestos en años anteriores, para entrenarte a afrontar el tipo de cuestionario dentro de los límites de tiempo que se te concede. El saber circunscribirte a un determinado tiempo te ayudará, ya que el día del examen se te podría acabar el tiempo mucho antes de completar el cuestiona-

rio. En el caso de que el examen fuera oral, haz prácticas de expresión durante el tiempo preciso (también aquí te puede ayudar mucho una grabadora).

- Habrás estado leyendo, durante el curso, libros indicados y recomendados para el caso, pero es imposible leer todo lo que se ha escrito sobre cada tema. Te podrán ayudar determinados resúmenes o compendios (o 'chuletas') de diversas materias que se pueden conseguir en muchas librerías. No se pueden comparar con los grandes autores, pero también pueden ayudar, como resúmenes.
- Cuidado con tus compañeros/as de clase. No te juntes con los que manifiesten ansiedad y pánico. El miedo y la ansiedad son muy contagiosos. Procura evitar el trato con gente depresiva y pesimista. Recuerda que tanto la positividad como la negatividad son contagiosas. A los compañeros y familiares exígeles que te den ánimos y que se guarden de comunicarte pesimismo alguno.
- No estés repasando hasta la hora de acostarte, pues tu cerebro estará tan activo que no te dejará conciliar el sueño. Oye música, mira un programa entretenido de televisión, da un paseo o tómate un baño templado (muy caliente o muy frío afectará a tu sistema nervioso y te costará más relajarte para dormir). En tiempo de repaso, mejor abstenerse de estimulantes como el alcohol, la cafeína o determinadas píldoras, y mucho más un par de horas antes de acostarte.
- Es muy importante mantener un régimen saludable antes de los exámenes. La tensión suele ser mayor que la ordinaria, y un estilo de vida saludable ayudará a rebajarla. La alimentación ha de contener todas las vitaminas y minerales necesarios; has de dormir lo suficiente y practicar ejercicios físicos regularmente. Te ayudará a reducir la tensión el practicar rutinariamente la relajación básica y así podrás concentrarte mejor en tu trabajo. Cuando se acerque el día del examen, acuérdate de destinar un poco de tiempo cada día a la visualización técnica descrita en el Capítulo 5º.
- Organízate lo mejor posible, tanto en el repaso como en tu vida diaria. El cambio constante de horarios y actividades puede producir gran estrés, y de lo que tratas es, precisa-

mente, de reducir el estrés en estas circunstancias. Sigue una rutina lo más regular posible, y mantén tus apuntes, libros y papeles bien ordenados. Haciéndolo así, siempre podrás echar mano de lo que te interesa en cada momento y no perderás un tiempo precioso tratando de encontrar un apunte o información importante.

- No te exigimos que domines todo tu estrés de tiempo de exámenes. Esto, sencillamente, no sería posible. Pero puedes aprender a detectar los síntomas de un estrés excesivo, a fin de controlarlo. Cuando notes que han variado sustancialmente tus hábitos de comida o de sueño, cuando te encuentres más irritable que de ordinario o cuando adviertas jaquecas o dolores no habituales, probablemente, el estrés está empezando a apoderarse de ti. ¡ALTO! Aunque te quite algo del tiempo que dedicabas al estudio, más vale hacer frente a ese estrés. Practica tu relajación rutinaria y descansa haciendo algo que te agrade; cuando vuelvas a tu repaso estarás en condiciones de hacerlo doblemente bien.
- ¿Tienes alguna amistad de talante tranquilo con la que puedas hablar? Sería preferible alguien que haya pasado por donde tú tienes que pasar. Te puede ayudar mucho para situar las cosas en la verdadera perspectiva.
- Acéptate como eres. No se trata de compararte (favorable o desfavorablemente) con los demás. Tú eres *tú* , y si lo estás haciendo lo mejor que puedes, nadie te puede pedir más, sean cuales sean los resultados.
- Evitarás estar sometido/a a presión, si te propones metas diarias comparativamente modestas. Las grandes e inalcanzables metas sólo sirven para que tengas un bajo concepto de ti, como de alguien que va a ser incapaz de superar los exámenes.
- Prométete un trato especial para cuando hayan pasado los exámenes. Algo que vaya según tus preferencias: una salida, comprarte un regalo o pasar una mañana en la cama. Lo importante es proponerte un horizonte agradable que no dependa de lo bien o mal que hayas pasado los exámenes.
- Es fácil olvidarse de una realidad: que todos quieren que superes los exámenes, incluido el examinador/a. Es alguien que te va a proponer el cuestionario sin odio en su

corazón y sin malicia en su alma. Es una persona normal que tiene una familia, unos niños, un trabajo. Su trabajo, ahora, es proponerte un cuestionario, no tratar de buscar medios para hundirte.

- Da un vistazo a todo tu trabajo del curso, aunque, naturalmente, no podrás saber todo acerca de cada tema particular. Está en tus manos el decidir hacer el mejor uso de lo que sabes.
- Trata de asegurarte de que entiendes completamente tus apuntes; y si tienes alguna duda, pregúntasela a alguien. El comprender es un elemento vital del recordar. Sin comprender, no hay motivo ni tan siquiera para entrar en el aula del examen.

Prepararse

Tu estado de ánimo durante el examen comienza aun antes de que salgas de casa. En realidad, comienza la noche anterior al examen mismo.

–La noche anterior

- Si el examen ha de tener lugar en otro sitio distinto al de tu centro de estudios normal, para ahora ya te habrás enterado del lugar exacto y de la mejor manera de llegar allá. No estaría mal que hagas un viaje de ensayo y a la misma hora del día, de manera que sepas cuánto tiempo te va a llevar el trayecto (luego siempre convendrá tomarse un tiempo más holgado para tener seguridad). Recuerda el itinerario y no te olvides de llevar dinero para los medios de transporte.
- Lleva todo el equipo necesario para el examen: bolígrafos, lápices, calculadora, regla, escuadra, es decir: todo que sea apropiado para cada examen. Es bueno llevarlo todo en una bolsa o cartera, y los lápices o bolígrafos por duplicado, no sea que te fallen en el momento menos oportuno.
- Que tu reloj tenga cuerda o pila en buen estado, porque es muy importante medir el tiempo en el examen.
- Acuéstate temprano, después de un baño templado y una bebida caliente que contribuya a relajarte.
- Una vez en la cama, practica el ejercicio de relajación al que ya te habrás acostumbrado. Visualiza el aula del exa-

men y contémplate allí, actuando con un talante positivo y confiado.

- Tu actitud mental en este momento es importantísima e influirá directamente en el resultado. Si eres consciente de que has trabajado bien durante el curso y procuras sentir tranquilidad, dentro de lo posible, es muy improbable que fracases. Recuerda todo esto antes de dormir.

–Por la mañana

- Levántate temprano, para tener tiempo suficiente de dar un paseo o de practicar algunos ejercicios sencillos de gimnasia. Te servirán para aliviar la tensión de tu cuerpo y para despejar la cabeza.
- Al llegar al lugar del examen, trata de evitar a esas personas que sabes que te pueden comunicar agitación o ansiedad. Es natural que sientas cierta preocupación, pero hay que evitar que esta adquiera proporciones incontrolables.
- Ya no es el momento de leer tus apuntes apresuradamente: sólo conseguirías confundirte. Si has estudiado y has repasado bien, sabrás todo lo que necesitas saber. Y si no lo hubieras hecho así, ahora no es el momento de arreglarlo.
- Al entrar en el aula del examen, siéntate en tu puesto tranquilamente. Coloca tus bolígrafos, lápices y demás equipo necesario; coloca también tu reloj, para que puedas consultarlo con una simple mirada. Realiza unas pocas respiraciones profundas y relaja la tensión de tu cuello y hombros, mientras procuras que tu mandíbula no esté fuertemente apretada.

Técnicas para el examen

–Exámenes 'tipo ensayo'

Las sugerencias siguientes te ayudarán a actuar lo mejor posible en los exámenes que requieran respuestas 'tipo ensayo':

- Lee con calma el cuestionario. Lo más probable es que te salte a la vista alguna pregunta que te resulte familiar, como una vieja amiga. Por lo menos ya tienes por dónde empezar. En este momento no es necesario que estudies, con detalle, cada una de las preguntas. Sin embargo, puede ser una buena idea el poner una señal en aquellas preguntas a las que crees que podrás responder bien y –quizá lo más importante– señalar con una cruz aquellas otras a las que no te quisieras enfrentar.

- Normalmente, suele estar permitido el responder a las preguntas en el orden que prefieras. Supuesto esto, hay dos tácticas que puedes emplear: La primera consiste en comenzar con la pregunta mejor para ti, pues te hará ganar confianza desde el principio. La segunda aconseja comenzar con la segunda pregunta en el orden de tu preferencia, ya que también ésta te producirá la suficiente confianza. Continúas luego con tu mejor pregunta y, para entonces, ya estarás completamente en marcha, y tus pensamientos se suscitarán con mayor facilidad.
- En un examen 'tipo ensayo' que dure tres horas, normalmente, te exigirán que escojas cuatro preguntas. Puesto que cada pregunta va a suponer el 25% de la calificación, no debes emplear en ella más de la cuarta parte del tiempo que te asignen, por mucho que sepas acerca de la materia en cuestión. Si divides el tiempo en partes iguales, tendrás 45 minutos para cada una. Los primeros cinco minutos te convendrá emplearlos en planificar la respuesta, y los dos últimos minutos en repasar tu respuesta, por si hubieras omitido algún punto vital. Esto te dará algo menos de cuarenta minutos para redactar la respuesta.
- Ten mucho cuidado en responder exactamente a lo que te han preguntado. No te piden que escribas "todo lo que sabes acerca de...". Lee, pues, cuidadosamente, la pregunta, y entérate de qué es lo que te piden. No ganarás mejor calificación por muchos conocimientos periféricos que demuestres, si compones 'variaciones' sobre aspectos no requeridos del tema.
- En el papel de tu cuestionario subraya las palabras clave de la pregunta como: 'describir', 'comparar', 'evaluar', contrastar'. Así tendrás la seguridad de saber qué es lo que se te pide, y evitarás el enfocar el tema desde un ángulo no debido.
- Se espera de ti que presentes argumentos a favor y argumentos en contra de lo especificado en la pregunta.

Procura tratarlos con la mayor objetividad; no es el momento de apoyar tus preferencias personales.

- Emplea parte de esos cinco minutos preparatorios anotando aparte palabras sueltas que condensen las ideas que la pregunta va suscitando en tu mente. De esta manera quizá evites omitir aspectos importantes. Te da también tiempo para decidir qué vas a incluir y qué vas a omitir en tu respuesta.
- En el papel del examen, basta que indiques el número de la pregunta. No tienes por qué volver a escribir la pregunta entera.
- Estructura tu respuesta escrita incluyendo un comienzo, un cuerpo central y una conclusión, sin olvidarte de dividir todo el texto en párrafos oportunos.
- Utiliza la información aprendida en clase. Claro que podrías utilizar información aprendida en otras fuentes apropiadas, pero los examinadores se fijarán muy especialmente en si has aprendido lo que ellos te enseñaron durante el curso. Si usas alguna otra información, convendrá que cites a su autor, para indicar que lo que dices no proviene de tu propia cosecha.
- Pase lo que pase, no intentes irte por las ramas o 'rellenar' tu respuesta; te calarán enseguida y no ganarás con ello. Es mejor dar una respuesta escueta que contenga todos los datos esenciales.
- Como parte del proceso de aprendizaje sugerido en este libro, te habrás preocupado de mejorar tu ortografía y tu gramática. Hay quienes piensan que esas cosas no tienen mucha importancia en los exámenes, pero cualquier examinador te dirá que eso no es así. Te perdonarán alguna que otra falta de ortografía, pero *nunca*, si esa palabra mal escrita pertenece a los conceptos fundamentales del tema de la pregunta. Y tú no estás para perder puntos en la nota definitiva.
- Cuida tu caligrafía y el esmero en la presentación de tu escrito. A un genio no le suspenderán por razón de un escrito mal presentado, pero a ti te interesa mucho que el examinador lea con facilidad lo que has escrito. Ten en cuenta que cada examinador/a tendrá que leer una gran cantidad de exámenes y no tendrá mucho tiempo para

descifrar caligrafías difícilmente legibles. Tampoco se trata de que exageres tu presentación; simplemente, de que pongas cierto cuidado en ella.

- Si el cuestionario exige que respondas "sólo a cuatro preguntas", y tú respondes a cinco, tendrán en cuenta sólo las cuatro primeras. Si te dicen que respondas " a la A o a la B", puedes escoger. Si respondes a las dos, sólo tendrán en cuenta la primera.
- Mientras redactas, ajústate a una estructura y a un plan. En tu conclusión vuelve a referirte a la pregunta; esto supondrá que estás respondiendo a lo que se te ha preguntado.
- Si has planificado tu tiempo, habrás podido responder a todas las preguntas. Pero suponte que has llegado a la cuarta pregunta sin tiempo suficiente para desarrollarla. Entonces, es mejor que anotes, en forma de resumen, los puntos que ibas a desarrollar, en lugar de desarrollar bien una primera parte y no escribir nada sobre la segunda.
- Cuando hayas acabado de escribir todo, te ha de quedar algo de tiempo para repasar tu escrito y corregir sus principales errores.
- No olvides que son muchos más los que suspenden los exámenes por culpa de su tensión nerviosa que por culpa de su falta de conocimientos. Si comenzares a sentir pánico, detente un momento, respira profundamente, relaja tu mandíbula y continúa escribiendo.

–Exámenes de matemáticas

- En estos exámenes no necesitarás leer primero todo el cuestionario. Empieza por el principio y responde a las preguntas por su orden.
- En estos exámenes es aún más esencial leer con cuidado las preguntas, de forma que respondas exactamente a lo que se te pide.

–Exámenes con muchas preguntas a elección

- En este tipo de exámenes, comienza, sin más, respondiendo a todas las preguntas que seas capaz de hacerlo en un primer momento. A continuación, trata de hacerlo con las demás que hayan quedado.

- Cuando hay una pregunta que pueda tener varias respuestas, estudia primero todas las opciones antes de llegar a una conclusión atropellada.
- Cuando hayas terminado de responder a aquello que sabías bien, si aún te queda tiempo, trata de responder a las otras preguntas. En todo caso, intenta una respuesta. En estos exámenes con muchas preguntas a elección no suele importar mucho el realizar alguna respuesta errónea. Porque se suelen ir anotando puntos por respuesta acertada. En el recuento total, la respuesta fallida no recibirá ningún punto. Y siempre es mejor intentar una respuesta, por si hay suerte.

Una vez concluido el examen

Hagan lo que hagan tus compañeros de examen, trata de evitar toda clase de lamentaciones. Te van a hacer pensar en lo que has omitido o en los errores que has cometido o que, tal vez, hayas cometido. El rumiar los aspectos negativos del examen sólo servirá para deprimirte. Si tienes que esperar varias semanas hasta conocer los resultados, trata de ocupar tu mente en otras cosas. Ya no hay nada que puedas hacer acerca de los exámenes que ya han tenido lugar. Ahora tienes que pensar en otras cosas: planear algo, reunirte con tus amistades, dedicarte a tu hobby preferido.

¿Recuerdas cómo habías hecho planes para después del examen? Pues bien, ahora es tiempo de disfrutarlos.

Pronunciar discursos y presentaciones

Por muchas razones, no hay nada que resulte tan aburrido para un auditorio, como el contemplar a alguien que les está leyendo un discurso previamente escrito:

1. Puede ocurrir que las palabras que lleva escritas no sean, en aquel momento, las más apropiadas; sin embargo, quien lee un discurso no será capaz de adaptarlas a una circunstancia o un auditorio determinados.

2. Estará con la cabeza inclinada para poder leer el texto, con lo que la voz no irá bien dirigida y las palabras se oirán mal. Si levanta los papeles, para evitarlo, entonces los oyentes no podrán ver la expresión de su rostro.

3. Lo más probable es que pronuncie sus palabras de manera monótona, pues pondrá su empeño en la lectura de su texto y no tanto en su intención y su significado.

4. No podrá moverse ni accionar con soltura, por hallarse más o menos pendiente de sus papeles.

5. Si se pierde en la lectura, si se le caen los papeles o si, por descuido, pasa dos hojas en lugar de una, se verá en un apuro y, además, será incapaz de continuar de una manera digna, al no tener bien aprendido lo que tenía que decir.

Total, que para tener éxito en un discurso o una presentación, lo mejor es aprendérsela bien. Esto no niega la conveniencia de haberla escrito antes totalmente. Haciéndolo así, puedes corregir los fallos que tenga y conseguir que el discurso esté bien estructurado y contenga todo aquello que tú querías decir.

Una vez que lo hayas escrito bien, léelo en alta voz para saber si es demasiado largo o demasiado corto para tu caso concreto. Al leerlo en alta voz, advertirás también si fluye bien y si va a interesar a tu auditorio.

No pretendas memorizar tu discurso, palabra por palabra. Podrá sonar a falso y, si pierdes el hilo, empezarás a vacilar lamentablemente. Como, lo más probable es que el tema que vas a tratar te sea muy familiar (si no, no lo tratarías), serás muy capaz de desarrollar tus ideas, sin necesidad de leerlas en un escrito.

Sin tener todo el texto delante de ti, a veces sí es útil, tener escrito el esquema del mismo en unas tarjetas que te sirvan de guía. Esto ya es más aceptable, porque estas tarjetas son lo bastante pequeñas para poder tenerlas en la mano sin que, por ello, te impidan moverte libremente. Y como sólo tendrás que mirarlas de vez en cuando, no te impedirán el contacto visual con tu auditorio.

Y puesto que estas tarjetas contendrán el esquema de tu discurso y no las mismas palabras que has de pronunciar, te vendrán muy bien cuando ensayes tu actuación. Por cierto, que tienes que ensayar. Para ganar confianza, es una buena idea aprender de memoria las primeras frases de tu discurso; esto te ayudará a dominar la tensión nerviosa en aquel momento. También te vendrá bien aprender de memoria la última frase de tu actuación, para que no tengas que hallarte sin saber cómo terminar.

Cuando ensayes, hazlo en voz alta, aunque no haya nadie contigo. Te ayudará a controlar exactamente la duración de tu discurso. Además, se recuerdan mejor las palabras oídas que las leídas. Utiliza, en tu ensayo, todo el énfasis y la expresión que querrás utilizar en el momento mismo de tu conferencia.

Utilizar un lenguaje distinto al tuyo

Es muy distinto el conocer, en teoría, otro lenguaje y poder leerlo, que el poder hablarlo y practicarlo. Lo cierto es que, la mayoría de los que estudian otro lenguaje lo hacen para ser capaces de hablarlo (incluso, escribirlo) de forma que se entiendan con aquellos con los que desean comunicarse.

El mayor obstáculo para usar otro lenguaje es el miedo, miedo de que no nos entiendan, miedo de aparecer ridículos cuando luchamos por hallar las palabras apropiadas. Sin embargo, es importantísimo que tengamos conciencia de que los que nos escuchan lo reciben como un honor que les hacemos al tratar de hablarles (aunque imperfectamente) en su propio lenguaje. Lo que te sucede a ti cuando estás deseando de ayudar a una persona que se esfuerza por hablarte en castellano, eso mismo les sucede a los otros respecto a ti.

Lo importante es ganar confianza cuanto antes y lanzarse sin miedo. Ante una persona de lengua extranjera no caigas en la tentación de preguntarle si sabe castellano. A lo mejor te responde que sí, y entonces habrás perdido una magnífica ocasión de practicar otra lengua.

No te hace falta dominar mucho la lengua de un país extranjero, para poder viajar a él en vacaciones. Si un turista extranjero entra, aquí, en una pastelería señalando con el dedo y diciendo 'pastel', conseguirá, al punto, lo que quería. Lo mismo te ocurrirá a ti en el extranjero.

En lo que respecta al aprendizaje de una lengua, el viajar al extranjero tiene muchas ventajas: estarás todo el día oyendo esa lengua, la leerás en todos los anuncios y señales. El significado de muchas palabras te resultará fácil adivinarlo, porque estarán junto a los objetos que representan. Durante tu viaje, repite esas palabras que oyes y ves: se irán fijando profundamente en tu mente.

Si estudias otra lengua para que te sea útil en tus negocios, habrá expresiones específicas en ese tipo de negocio, que necesitarás aprender. Trata de acompañar este aprendizaje con la visualización de esos contenidos. Si eres un fabricante de zapatos y estás aprendiendo el italiano, usa frecuentemente las palabras italianas correspondientes a las diversas formas y componentes del calzado, tanto del calzado masculino como del femenino. Escríbelas en todos los diseños de calzado de tu empresa, en todos los esquemas y anuncios y tenlos constantemente ante tus ojos. Las palabras italianas irán penetrando suavemente en tu subconsciente.

Sea, en fin, la razón que sea por la que quieres aprender otra lengua, cuanto antes y más intensamente te sumerjas en ella, tanto mejor.

* * *

Puede suceder que el objetivo de tu aprendizaje no coincida con ninguno de los que hemos puesto como ejemplo y desarrollado en este capítulo. Sin embargo, las sugerencias que aquí te hemos ofrecido serán muy adaptables a cualesquiera otras circunstancias. El escribir, aun cuando no sea para redactar un examen, exigirá el mismo proceso de planificación. El hablar, aun cuando no sea para hacer una presentación o utilizar un lenguaje extranjero, precisará de parecidos ensayos, práctica y robustecimiento de la confianza. Estoy segura de que, si utilizas las técnicas aquí descritas, experimentarás que han merecido la pena.

11

Resumiendo, paso a paso

Tienes ya, al alcance de tus manos, suficiente información y técnicas para aprender con eficiencia, mejorando tu memoria y capacidad de recuerdo. Lo que viene a continuación es un resumen con vistas a consolidar los elementos esenciales que te hemos dado, de forma que puedas utilizarlos en cualquier momento.

Los tres estadios del aprendizaje

* Absorción de nuevas ideas
* Empalme de la nueva información con la que ya tenías antes
* Habilidad para expresar lo que sabes

Cerebro izquierdo y cerebro derecho

* Entérate de si tu cerebro predominante es el izquierdo o el derecho
* Trata de conseguir un equilibrio entre ambos

Influencias externas sobre el cerebro

* *Nutrición* - procura seguir una dieta equilibrada

* *Estimulantes* - evita el exceso de cafeína, alcohol, tabaco y drogas
* *Actividad física* - practica ejercicios físicos razonablemente
* *Condicionamientos* - no permitas que el pasado levante barreras en tu camino.
* *Estrés* - practica la respiración profunda, la relajación, etc.

Preparar el escenario para aprender

* Prepara un lugar confortable (a ser posible, sólo para estudiar)
* Conócete a ver si eres 'diurno/a' o 'nocturno/a'
* Planifica tu tiempo con realismo
* Haz frecuentes interrupciones para refrescar tu mente y estirar tu cuerpo
* Divide tu estudio en períodos cortos. Recuerda que se te graba mejor lo que has aprendido al comienzo y al final de cada sentada

Trata de pensar más creativamente

* Practica el enumerar la mayor cantidad posible de usos que se puedan dar a un objeto doméstico: una cerilla, un clip, etc.
* Utiliza el 'brainstorming' (amontonamiento de ideas) como ayuda para solucionar problemas
* Ten en cuenta que puede haber más de una solución para cada problema
* No tengas miedo al fracaso; puede formar parte del proceso de aprendizaje
* Siempre es posible sortear los obstáculos para hallar el camino
* Nunca rechaces una idea porque te parezca extraña
* Recuerda que la ruta más fácil no es siempre la mejor
* Trata de desarrollar el poder de tu imaginación
* Practica la visualización
* Crea mapas de ideas

* Fomenta las oportunidades de creatividad, dedicándote a un hobby o a soñar despierto
* Convéncete de que *cualquiera* es capaz de aprender

Los tres estadios de la memoria

* Inmediata
* A corto plazo
* A largo plazo

Trasladar de la memoria a corto plazo a la memoria a largo plazo

* Tienes que querer recordar
* Repetición o repaso
* Comprometerse

Acerca de la memoria

* No hay límites a lo que puedas recordar
* La motivación es imprescindible, así como tener presentes tus objetivos
* Hay diferencia entre memoria visual y memoria verbal
* ¿Cuál de ellas es la más natural para ti? Trata de reforzar la otra
* Para poder recordar algo, primero has de comprenderlo totalmente
* Refuerza tu comprensión (usa rotuladores luminosos, diagramas y otras ayudas)
* Ensaya y repasa los datos varias veces a intervalos cada vez mayores
* El recuerdo es la habilidad de recabar la información almacenada

Ayudas para memorizar

* Trata de ver un esquema lógico en los datos
* Pronuncia los datos en voz alta
* Usa casetes, como ayuda
* Trabaja con alguna amistad para que 'os toméis la lección' mutuamente

* Utiliza plenamente tu imaginación
* Usa mapas de ideas para comprobar tu memoria
* Interrumpe el estudio con frecuencia, para evitar la fatiga
* No trates de memorizar los datos aisladamente. Empálmalos con los que ya conoces
* Cualquier cosa divertida o ridícula se recuerda más fácilmente
* Aprende las cosas formando grupos o secuencias
* Utiliza rimas y mnemotecnias

Mirar

* Aprecia la diferencia entre mirar y observar
* Practica tests de observación (suponte que eres testigo de un accidente o trata de recordar todos los objetos de una bandeja)
* No 'veas' algo, sólo porque esperabas verlo

Visualización

* Todos somos capaces de visualizar. Lo único que se requiere es: práctica
* Practica los ejercicios para aumentar tu capacidad de visualización

Usos de la visualización

* Contribuye a la relajación
* Ayuda a transferir información a la memoria a largo plazo
* Ayuda a recordar
* Contribuye a dominar los nervios en un examen
* Facilita el recordar nombres y caras
* Ayuda a recordar listas y objetos sin orden

Oír

* Aprecia la diferencia que hay entre oír y escuchar
* Practica las técnicas y ejercicios de la escucha

* Toma notas mientras escuchas (pero no demasiadas). Lo más importante es comprender lo que se dice
* Si crees que no has comprendido, haz preguntas.

Mejorar tu lectura

* Aprende cómo trabajan tus ojos, y cómo lees tú
* Aumenta tu rapidez de lectura:
  - realizándote diversos controles de tiempo
  - controlando tu movimiento de ojos
  - usando un puntero

Leer para aprender

* Prepara el escenario:
  - poniendo buena iluminación
  - sentándote cómodamente
  - procurando un buen estado mental
* Antes de empezar, echa un vistazo general al libro: contenido, titulares, índice, etc.
* Divide en partes lo que vas a estudiar en cada sentada
* Haz pausas para poner en orden tus pensamientos y encajar los nuevos datos con tus conocimientos anteriores
* Toma notas mientras lees
* Interésate por lo que estás leyendo
* Ve anotando las palabras clave, según vas leyendo

Posibles momentos de atasco

* Fatiga
* Te has propuesto una meta excesiva
* El texto es difícil (pide ayuda o intenta con otro libro)
* No conoces bien el vocabulario. Estudia las palabras que aparecen con más frecuencia.

Después de una sesión de lectura

* Piensa sobre lo que has leído
* Toma notas
* Elabora un mapa de ideas

Ejercicios de los ojos

* Practícalos con regularidad durante los períodos de estudio intenso

Escribir

* Practica con frecuencia, a fin de aumentar tu velocidad
* Utiliza los materiales apropiados
* Intenta las abreviaturas, el excluir las vocales y otras técnicas para economizar tiempo y esfuerzo

Tomar notas

* Pon siempre la fecha, el título y cualquier información importante
* Escucha lo que están diciendo y trata de entenderlo
* Sujétate a un ritmo de escritura. Si te has perdido algo, deja un espacio en blanco, para poder llenarlo después
* Pasa a limpio tus apuntes lo antes posible

Pasar a limpio

* Deja espacios para poder insertar datos ulteriores
* Utiliza diagramas, gráficos y mapas de ideas
* Toma nota detallada de las fuentes
* Destaca los datos importantes con títulos, subtítulos y subrayados de colores
* Sigue la estructura que se te da en la lección
* Vete poniendo, con frecuencia, tus apuntes al día, según vayas adquiriendo información

Escribir ensayos

* Emplea tiempo en recoger información, pues es tan importante como la redacción misma del ensayo
* Considera las restricciones que se te imponen (tiempo, longitud, etc.), antes de comenzar
* Piensa despacio en lo que se te pide en el título. Si se te

exige una 'discusión', una 'comparación', una 'descripción', etc.

* Haz un plan
* Divide tu escrito en: (1) introducción, (2) cuerpo principal y (3) conclusión
* Acomoda tu lenguaje al trabajo que estás realizando
* Mucho cuidado con la gramática, la ortografía y la puntuación
* Cuidado, también, con la caligrafía. Que sea fácilmente legible
* En la conclusión, haz referencia al título
* Haz un primer borrador, luego lo lees y lo corriges
* Haz una copia definitiva

Trabajar con números

* Que no te asusten los números. Los manejas ya, mucho más de lo que crees, en tu vida ordinaria
* Juega a juegos que aumenten tu familiaridad con los números
* Practica métodos más rápidos y sencillos para realizar las cuatro cuentas fundamentales: suma, resta, multiplicación y división

Recordar números

* Conviértelos en letras o palabras, cuando ello sea posible

Exámenes

* Pongamos cuatro estadios: el repaso, la preparación, las técnicas para el examen y la vida después del examen

Repaso

* Dedícale bastante tiempo antes del examen
* Mira qué es lo que más necesitas saber
* Hazte un calendario de repaso

* Anota lo que pretendes cubrir cada día y date la satisfacción de tacharlo cuando lo has cumplido
* Haz mapas de ideas, y diagramas que te ayuden
* Discute los temas con otros
* Utiliza casetes que te ayuden
* Observa los cuestionarios de exámenes anteriores
* Lee todo lo que puedas acerca del tema
* Cuando se acerque el examen, evita a la gente que tiene tendencia al pánico
* No estés repasando hasta la hora de acostarte
* Cuida mucho tu estado general de salud
* Organiza lo mejor posible tus apuntes y tu vida diaria
* Proponte metas diarias modestas, y cúmplelas

Preparación

* Prométete un trato especial cuando hayan pasado los exámenes
* Convéncete de que todos quieren que apruebes
* Familiarízate con el lugar en donde se va a celebrar el examen
* Prepara, con todo lo necesario, tu cartera de examen
* Comprueba que tu reloj funciona
* Acuéstate razonablemente temprano la noche antes del examen
* Una vez en la cama, practica la relajación y visualización

El día mismo

* Levántate a tiempo para desayunar bien y hacer algo de ejercicio
* Evita a los que te transmiten nerviosismo
* Ya no es hora de andar revisando apuntes. Lo único que harán es confundirte y producirte ansiedad
* Una vez en el puesto del examen, despliega tu material y tu reloj. Practica ejercicios de respiración

Exámenes 'tipo ensayo'

* Lee bien el cuestionario y marca las preguntas que intentas responder

* Comienza con la pregunta que mejor sepas o con la segunda
* Emplea cinco minutos en planear cada cuestión
* Al terminar cada cuestión, emplea un par de minutos en repasarla
* Responde exactamente a la pregunta que te han hecho
* Subraya las palabras clave en el cuestionario
* En tu tiempo de planificación anota palabras clave
* Estructura tus respuestas incluyendo: un comienzo, un cuerpo central y una conclusón
* Utiliza aquello mismo que te han dicho los profesores en el curso
* Si empleas otras fuentes, cita a sus autores
* No rellenes las respuestas
* Mucho cuidado con la caligrafía, la ortografía, la gramática y la presentación
* No respondas más que al número de respuestas que te han pedido
* Procura mantenerte dentro del tiempo que tú has planificado
* Si te va a faltar tiempo, redacta tu respuesta final en forma de esquema
* Si empiezas a sentir pánico, detente un momento y regula tu respiración

Exámenes de matemáticas

* No hace falta que leas, desde el comienzo, todo el cuestionario. Vete respondiendo a las preguntas, por orden
* Lee cuidadosamente cada pregunta, para saber qué es lo que se te pide

Exámenes con muchas preguntas a elección

* Responde a todas las preguntas que sepas y omite, por ahora, las otras
* Si la pregunta tiene varias respuestas, estudia todas las opciones

* Una vez que hayas respondido a todas las preguntas que sabías, intenta con las que no sabes
* Si no tienes seguridad, no pierdes nada con intentarlo

Después de los exámenes

* Déjate de lamentaciones
* Si faltan varios días para saber los resultados, llena tu tiempo con algo nuevo e interesante
* Disfruta del trato que te habías prometido

Preparar discursos o presentaciones

* Escribe todo el discurso, pero, el día señalado, *no* lo pronuncies leyendo en unos papeles
* Antes de ese día, léelo, para ti, en voz alta
* Prepara tarjetas con el esquema
* Asegúrate de que conoces el tema a fondo
* Aprende de memoria el comienzo y el final
* Ensáyalo bien

Utilizar una lengua extranjera

* Aprovecha todas las oportunidades para practicar esa lengua
* No tengas miedo de usar sólo palabras sueltas, al principio
* Si te encuentras en el país extranjero, empápate del lenguaje que te rodea
* Pon etiquetas con la traducción sobre los objetos más importantes.

Indice

Pretende facilitar a un gran número de lectores títulos muy variados selectos en su presentación y en su contenido a precios realmente asequibles.

1. La Mujer en la nueva sociedad, E. Radius; A. Grosso, y otros (Agotado).
2. Psicologia de nuestros conflictos con los demas, M. Oraison (Agotado).
3. Los Secretos de la salud, Varios Autores (3ª Edición).
4. Educacion sexual y conyugal, Ch. y L. Robinson (Agotado).
5. El Camino del yoga, X. Moreno Lara (5ª Edición).
6. Saber adelgazar, Dr. Apfelbaum (Agotado).
7. Martin Luther King. Rebelde por amor, W. Minestrini (4ª Edición).
8. Nuevo Testamento. Moderna Versión (7ª Edición).
9. La Depresion nerviosa, Varios Autores (4ª Edición).
10. Como hablar en publico, R. S. Catta (4ª Edición).
11. El Desarrollo de la personalidad, S. Brind'Amour (7ª Edición).
12. Documentos completos del Vaticano II (16ª Edición).
13. La herencia y vuestros hijos, Y. Houdard.
14. Los fabulosos juegos olimpicos, J. A. Ruigómez.
15. La pareja hoy, M. T. Van Eekhout (4ª Edición).
16. Victoria sobre el insomnio, J. Scándel (Agotado).
17. La pildora, Y. Genouel.
18. La pedagogia sexual y nosotras las mujeres, G. Shmeer (2ª Edición).
19. Técnicas de la serenidad, M. Köhler (3ª Edición).
20. Las enfermedades venéreas, D. Dallayrac.
21. Pequeñeces, L. Coloma (Agotado).
22. El drama de Jesus, J. J. Martínez (Agotado).
23. Pequeño Diccionario Médico-Practico, P. Neuville (9ª Edición).
24. Valle negro, H. Wast.
25. Mantenerse joven. Permanecer activo, E. Weier (Agotado).
26. La personalidad del hombre, J. Rattner (4ª Edición).

27. **El equilibrio de la personalidad**, Y.-P. Marguerite (3ª Edición).
28. **El Infarto. Como evitarlo**, Vallier C. (2ª Edición).
29. **Los Años ganados**, E. Weiser.
30. **Psicologia y vida cotidiana,** J. Bresse (Agotado).
31. **Adelgazar por la gimnasia**, M. Rouet.
32. **La eterna juventud de la vida**, M. Rouet.
33. **El embarazo y el parto**, M. H. Miehe (3ª Edición).
34. **Heroica y tenebrosa IRA**, J. Le Bailly.
35. **Los paraisos de las drogas**, G. Gerosa, N. Willard, B. Bisio, (3ª Edición).
36. **¿Liberalizar el aborto?** J. Ferin, C. Lecart y otros.
37. **Juan XXIII. Parroco del mundo**, P. Ambrogiani.
38. **La salud por la comida**, M. Rouet (2ª Edición).
39. **Guia alimenticia del deportista**, A. F. Creff y otros (2ª Edición).
40. **Entrenamiento para la lectura rapida y eficaz**, M. Guidici, (3ª Edición).
41. **Polémica y realidad del aborto,** E. Montañés del Olmo.
42. **El arte de conversar**, H. Raschke (3ª Edición).
43. **La pareja sin hijos**, S. Bresard (Agotado).
44. **Belleza: 800 recetas**, F. Le Folcalvez.
45. **¿Qué hacer con vuestros hijos?** Ch. y L. Robinson (3ª Edición).
46. **Proceso al siglo XX**, C. Alfonso.
47. **El fenomeno de las hormonas**, G. Venzner (Agotado).
48. **Padres e hijos, ¿amigos o enemigos?,** E. Blumenthal (Agot.)
49. **Introduccion a la psicologia**, F. Acha Irizar (Agotado).
50. **Psicologia de la pareja,** Varios Autores
51. **Introduccion a la historia. Hombres, clases, pueblos**, J. Juliá Díaz (Agotado).
52. **Introduccion a la pedagogia**, F. Acha Irizar (2ª Edición).
53. **Iñigo de Loyola,** R. Roig (Agotado).
54. **Naturaleza y técnica**, E. Schenk.
55. **El lazarillo de Tormes**. Edición preparada por R. Roig.
56. **Introduccion al Budismo-Zen**, T. Suzuki (2ª Edición).
57. **El poder de la voluntad**, J. Lindworsky (7ª Edición).
58. **Primeros auxilios**, J. M. de Mena (3ª Edición).
59. **Psicologia para la educacion del niño**, Varios Autores (3ª Edición).
60. **La felicidad de la joven pareja**, Ph. y C. Deroux (3ª Edición).
61. **Introduccion a la psiquiatria**, I. Pellicier (2ª Edición).
62. **Psicologia de nuestras relaciones con los demas**, M. Oraison (Agotado).
63. **El amor materno**, F. Humblet (2ª Edición).
64. **Historia de España,**Varios Autores.

65. **La historia de Helen Keller**, L. A. Hickok (3ª Edición).
66. **Psicopedagogia de la infancia a la adolescencia**, R. Gilbert (3ª Edición).
67. **Guia de la defensa personal**, L. Arpin (Agotado).
68. **Rimas y leyendas de Gustavo Adolfo Becquer**. Edición preparada por R. Roig (Agotado).
69. **Saber estudiar**, J. Ontza (2ª Edición).
70. **Historia de las religiones**, Equipo de Redacción PAL.
71. **El ordenador, prodigio de la técnica**, F. Isla y L. G. Eibar.
72. **Saber castigar**, P. Myrnos (Agotado).
73. **El cine. Géneros y estilos**, X. Moreno Lara (Agotado).
74. **Diccionario de Mitologia**, J. L. Arriaga (2ª Edición).
75. **La Celestina**. Edición preparada por R. Roig.
76. **Etica y moral**, F. Acha Irizar (2ª Edición).
77. **Cocinar es facil**, M. J. Escribano (Agotado).
78. **Fabulas**, F. M. Samaniego (Agotado).
79. **Timidez, voluntad, actividad**, P. Chauchard (Agotado).
80. **Conocimiento y dominio de la memoria**, P. Chauchard (Agotado).
81. **El equilibrio del cuerpo y de la mente**, P. y R. Bizé y P. Goguelin (2ª Edición).
82. **La inteligencia eficaz**, A. Sarton (Agotado).
83. **Vida familiar y vida escolar**, F. Acha Irizar.
84. **La danza de los numeros**, H. Antoñana (Agotado).
85. **Angustias de niños sanos**, G. Eberlein.
86. **Diccionario de Psicologia**, Equipo de Redacción PAL (3ª Edición).
87. **Conocer a los otros**, M. Gauquelin (Agotado).
88. **Saber comunicarse**, F. Gauquelin.
89. **Madurez creadora**, I. Mummert.
90. **Triunfar en la tercera edad**, X. Moreno Lara (2ª Edición).
91. **Juan Pablo II, el hombre y el Papa**, Equipo de Redacción Mensajero (Agotado).
92. **Training mental**, A. Bierach (2ª Edición).
93. **La Imagen personal, clave del éxito**, A. Bierach (2ª Edición).
94. **Educar la familia hoy**, B. Quera (2ª Edición).
95. **El desarrollo vital del hombre**, B. Lievegoed.
96. **La Droga y vuestros hijos**, Centro Didro (2ª Edición).
97. **Mi hijo es ¿superdotado?, ¿normal?, ¿torpe?** J. M. de Mena.
98. **Guia de la relajacion y de la sofrologia**, C. Haumont (Agotado)
99. **Coro y cocina de monasterios de España**, R. Roig.
100. **Palestina ayer y hoy**, T. Martínez.
101. **Familia hoy y mañana**, C. Magaz.

102. **H.ª Universal (I). Prehistoria e historia del Proximo Oriente**, Equipo de Redacción PAL
103. **H.ª Universal (II). El mundo griego**, Equipo de Redacción PAL (2ª Edición).
104. **H.ª Universal (III). El mundo romano**, Equipo de Redacción PAL (2ª Edición).
105. **H.ª Universal (IV). La Alta Edad Media**, Equipo de Redacción PAL.
106. **H.ª Universal (V). La Baja Edad Media**, Equipo de Redacción PAL.
107. **H.ª Universal (VI). Renacimiento. Reforma y Contrarreforma**, Equipo de Redacción PAL.
108. **H.ª Universal (VII). Siglo de las Luces. Revolucion Francesa y época de Napoleon**, Equipo de Redacción PAL.
109. **H.ª Universal (VIII). Emancipacion Americana. Revolucion Industrial**, Equipo de Redacción PAL.
110. **H.ª Universal (IX). Epoca contemporanea**, Equipo de Redacción PAL.
111. **Gane dinero sabiendo vender**, C. Barceló (2ª Edición).
112. **Amate y sé feliz**, E. Llanos (7ª Edición).
113. **El canto a la vida**, J. Guerra Cáceres (2ª Edición).
114. **Historia de la medicina universal**, J. M. de Mena.
115. **El Matrimonio como desacuerdo**, C. Magaz Sangro.
116. **Sida. Anécdota, prevencion, terapéutica**, V. Ruvira.
117. **Plenitud**, J. Guerra Cáceres.
118. **¡Curado del cancer!**, J. Sattillaro.
119. **Superacion**, J. Guerra Cáceres.
120. **Correos maritimos españoles a la América Española (I)**, F. Garay Unibaso.
121. **Correos maritimos españoles a la América Española (II)**, F. Garay Unibaso.
122. **La camisa del hombre feliz y otras narraciones**, L. Coloma.
123. **Hazañas y secretos de la II Guerra Mundial (I)** J. M. Romaña.
124. **Diccionario de contabilidad y economia**, D. Domínguez.
125. **Cuentos**, Hermanos Grimm.
126. **Hazañas y secretos de la II Guerra Mundial (II)**. J. M. Romaña.
127. **Cocina de urgencia para hombres solos**, J. M. de Mena.
128. **A Santiago con el Papa**, T. Martínez.
129. **El infierno de las sectas**, C. Vidal Manzanares.
130. **Naturaleza y arte. Vision artistica de la H.ª Natural**, J. Gómez Tejedor.
131. **Fabulas** de Fedro
132. **Hazañas y secretos de la II Guerra Mundial (III)**. J. M. Romaña.

133. **DICCIONARIO DE SINONIMOS Y ANTONIMOS**, Varios Autores.
134. **IÑIGO DE LOYOLA. A 500 AÑOS DE SU NACIMIENTO**, R. Martialay.
135. **CORREOS MARITIMOS ESPAÑOLES A FILIPINAS (III)**, F. Garay Unibaso.
136. **YO VIVI LA BOMBA ATOMICA**, P. Arrupe.
137. **BALADAS DE LA VIEJA EUROPA**, Büger; V. Hugo; Goethe; Heine y otros
138. **SIMBOLOS DE LA NATURALEZA**, J. Gómez Tejedor.
139. **DICCIONARIO DE ARTES PLASTICAS**, J. I. Fernández Marco.
140. **UN NATURALISTA ANTE EL QUIJOTE**, J. Gómez Tejedor.
141. **COMUNICARSE EN FAMILIA**, Marie-Madeleine Martinie.